Letters of Note

音乐

[英]肖恩·亚瑟 编著

李天奇 译

【版权所有，请勿翻印、转载】

湖南省版权局著作权合同登记图字：18-2022-040

Copyright © Shaun Usher, 2020. First published in Great Britain in 2020 by Canongate Books Ltd. Copyright licensed by Canongate Books Ltd., arranged with Andrew Nurnberg Associates International Limited. Art direction and design: Rafaela Romaya, 'Trumpet player' illustration © Brian Grimwood. Simplified Chinese edition copyright 2022 by Hunan Fine Arts Publishing House Co., Ltd in association with Penguin Random House North Asia. All rights reserved.

本书仅限中国大陆地区发行销售

"企鹅"及其相关标识是企鹅兰登已经注册或尚未注册的商标。
未经允许，不得擅用。
凡无企鹅防伪标识者均属未经授权之非法版本。

图书在版编目（CIP）数据

见字如面. 音乐 /（英）肖恩·亚瑟（Shaun Usher）编著；
李天奇译. —长沙：湖南美术出版社，2022.9
书名原文：LETTERS OF NOTE：MUSIC
ISBN 978-7-5356-9793-6

Ⅰ.①见… Ⅱ.①肖… ②李… Ⅲ.①书信集—世界
Ⅳ.①I16

中国版本图书馆CIP数据核字(2022)第077635号

见字如面. 音乐
JIAN ZI RU MIAN. YINYUE

出 版 人：黄　啸
编　　著：[英] 肖恩·亚瑟
译　　者：李天奇
策　　划：王柳润　瞿　力
责任编辑：潘旖妍　姚　帆
责任校对：何雨虹
出版发行：湖南美术出版社
　　　　　（长沙市东二环一段622号）
经　　销：湖南省新华书店
印　　刷：湖南省众鑫印务有限公司
　　　　　（湖南省长沙市长沙县榔梨街道梨江大道20号）
开　　本：787mm×1000mm　1/32
印　　张：4.625
版　　次：2022年9月第1版
印　　次：2022年9月第1次印刷
书　　号：ISBN 978-7-5356-9793-6
定　　价：28.00元

邮购联系：0731-84787105　邮编：410016
网　　址：http://www.arts-press.com
电子邮箱：market@arts-press.com
如有倒装、破损、少页等装帧质量问题，请与印刷厂联系调换。
联系电话：0731-86807567

2009年，一个庆祝书信这种老式通信方式的网站"lettersofnote.com"上线，"见字如面"计划随之诞生。从那时到现在，该网站已被访问超过一亿次。《见字如面》的第一卷于2013年10月出版。同年晚些时候，我们又举办了第一次"书信现场"活动，让世界顶级表演者为听众们现场朗诵精彩书信。

从此，"见字如面"和"书信现场"这对"孪生姐妹"并肩成长，前者火遍全球，后者在世界各地的许多标志性场馆举办：从伦敦的皇家阿尔伯特音乐厅，到洛杉矶的王牌酒店。

如欲获取更多详情，可访问"lettersofnote.com"和"letterslive.com"。现在，"见字如面"的最新系列还有了音频版可供收听。我们的朗读者阵容人才济济，选自广受好评的"书信现场"演出的固定表演班底。

目 录

	前 言	3
信件 01	**他叫米克·贾格尔**	8
	基思·理查兹致帕蒂阿姨	
信件 02	**我的心跳差点停住了**	14
	海伦·凯勒致纽约交响乐团	
信件 03	**谢谢,希望你们噎死**	18
	披头士乐队的"粉丝"致耐克公司	
信件 04	**我紧随在你身后**	21
	莱昂纳德·科恩与玛丽安·伊伦	
信件 05	**感谢你**	24
	马克·陶伯特医生致戴维·鲍伊	
信件 06	**前所未有的至高音乐享受**	32
	夏尔·波德莱尔致理查德·瓦格纳	
信件 07	**我面临着两大阻碍**	38
	弗洛伦斯·普莱斯致谢尔盖·库谢维茨基	

I

信件 08	**手下留情,年轻人**	42
	查尔斯·明格斯致迈尔斯·戴维斯	
信件 09	**朋克是我发明的**	49
	莱斯特·邦斯致《东村之眼》杂志	
信件 10	**为白痴而生的作曲家**	56
	埃里克·萨蒂致让·普伊	
信件 11	**我学会了控制自己**	60
	彼得·伊利奇·柴可夫斯基	
	致纳德日达·菲拉列托夫娜·冯·梅克	
信件 12	**那不是占便宜,是表达爱**	64
	约翰·列侬致克雷格·麦格雷戈	
信件 13	**大获成功**	68
	莉莲·诺迪卡致父亲	
信件 14	**还记得我吗?**	70
	马友友致伦纳德·伯恩斯坦	
信件 15	**寻根究底**	74
	路德维希·凡·贝多芬致艾米莉·H	

信件 16	**我从不写信，即便是给我母亲**	78
	罗杰·泰勒致《滚石》杂志	
信件 17	**《阿依达》会在档案馆里积灰**	81
	朱塞佩·威尔第、普洛斯彼罗·贝塔尼和朱利奥·里科迪	
信件 18	**请指示**	87
	特奥·马斯罗致哥伦比亚唱片公司数人	
信件 19	**不要让别人定义你是谁**	89
	安吉丽可·基乔写给全世界的女孩	
信件 20	**那根不行，博士——它没有节奏感**	93
	理查德·施特劳斯致汉斯·迪斯特	
信件 21	**想象一下这个情景**	99
	里克·梅奥尔致鲍勃·格尔多夫	
信件 22	**说真的，凯伦·卡朋特是谁？**	105
	金·戈登致凯伦·卡朋特	
信件 23	**胡说八道**	109
	哈里·S.杜鲁门致保罗·休姆	

信件 24	**群星的颜色,她的肤色,还有爱情**	113
	朱浩伟致酷玩乐队	

信件 25	**那是种病毒**	117
	汤姆·威兹致《国家》杂志	

信件 26	**和谐的艺术品**	121
	阿黛尔·奥德·奥赫致施坦威公司	

信件 27	**请换掉你们的待机音乐**	124
	史蒂芬·施洛茨曼医生致 CVS 连锁药店	

信件 28	**让他们大开眼界吧,孩子**	130
	尼克·凯夫致托勒密	

信件 29	**创作冲动**	134
	约翰·柯川致唐·德迈克尔	

一封信是一枚定时炸弹,是一条瓶中信,是一句咒语,是一声呼救,是一则故事,是一段关切的表达,是一次爱的递送,是一种通过文字互相联结的方式。今天,这种简单且非常大众的艺术形式仍是一种有力的沟通手段。不管我们正经历什么样的技术革命浪潮,书信都不会消失,它会像文学一样永远存在。

前　言

很荣幸能在这里欢迎你进入《见字如面：音乐》的世界，踏上这趟由一封封信件铺就的旅程。贯穿这些信函的主题是音乐，它始终积极向上，又能极大地丰富人们的精神生活。在人生中，这样的事物并不多。

音乐能够将性格天差地别的人团结在一起，疗愈最深的伤口；只要心爱歌曲的一个音符响起，你就能去往另一个时空；音乐改善情绪的速度比最强效的药物还要快。毫不夸张地说，如果没有音乐，如果听音乐变成了一项禁忌，我们生活的丰富性将会降低整整一个维度。唯一能真正通行全世界的语言一旦消失，沟通手段不复存在，人们将逐渐失去连接彼此的纽带。

信件也是一种交流方式，因此，用它来赞美音乐这样不可或缺的事物再合适不过。遗憾的是，信件的消亡要比音乐容易想象得多。在这瞬息变化的世界里，我们已经臣服于各种闪亮的新设备。它们承诺并给予了我们很多，却也牺牲了一些东西，包括老式通信手段之所以珍贵的原因。只要在一块发光的玻璃上敲两下，就能给远在天涯海角的亲人发个表情，这样的便捷性很了不起，也不应受人轻视。但是，为了另一个人而提笔写信，仔细斟酌字句，不受干扰，一心一意地让思绪在纸上流淌——这种行为饱含力量，让人满足又充满人性，产生的益处往往波及深远。

可以说，如果没有音乐，或者没有书信，都是我们的损失。

请允许我担任本次旅途的向导，通过这本旋律优美的书信集来赞美这两种交流方式。这些书信的写作时间横跨两个多世纪，最早的写于1812年，最晚的则写于2019年。它们表达的有感激，有愤怒，也有异想天开；它们或提供建议，或表达爱意，或立下保证，或洋溢快乐。它们都提到了音乐。我们会穿越到1962年，让你在座位最前排目睹史上最伟大的摇滚乐队成员间初建联系的时刻；到1981年，听听朋克乐最有影响力的评论家之一追根溯源，将该流派的诞生延伸至前所未想的地方；到2016年，看一位音乐传奇人物与他亲爱的缪斯女神告别；到1924年，听一位心怀感激的聋哑乐迷对让她不知怎么"听到了"演奏的管弦乐队表达感谢；到1943年，看一位有色人种妇女恳求指挥家忽略她的性别和种族，以便她能在职业道路上再进一步的心碎瞬间。诸如此类，不一而足。

无论你是否自诩为音乐爱好者，这些书信都会令你深深着迷。如果你出于一些未知的原因对书信并无好感，我也可以肯定，这本书所讲述的故事和蕴含的信息能够丰富你的生活。

将手机调到静音，不要交头接耳，好好享受这场演出吧。

肖恩·亚瑟

2020年

The Letters

—— 信件 01

他叫米克·贾格尔
基思·理查兹致帕蒂阿姨

1962 年 4 月

    滚石乐队是史上最成功、影响力最广的乐队之一。从 1962 年开始,基思·理查兹就一直是该乐队的主吉他手和词曲作者,是真正的当代传奇。他创作了许多摇滚乐史上最为脍炙人口的连复段。他的名气如此之大,人们已经习惯了他走上巨型舞台,用无疑能够流传许多个世纪的歌曲让乐迷们心荡神迷的样子,没人想象得出他在成名之前是个什么样的人。但多亏了他写给心爱的帕蒂阿姨的一封信,我们得以对那时的他一窥究竟。这封信写于 1962 年 4 月,那时基思 18 岁。他在信中难掩激动地提到,四个月前,他在等去伦敦政治经济学院的火车时遇到了一个人。这次会面最终将彻底改变他的人生。就在他给帕蒂阿姨写信的三个月后,滚石乐队在伦敦的大帐篷俱乐部进行了他们的第一场演出。后来的事,大家都知道了。

—— 信件正文

斯皮尔曼路 6 号

达特福德

肯特郡

亲爱的帕蒂：

用"蓝瓶"[1]的声音说：很抱歉这么晚才写信（怪我脑子坏掉了）。在震耳欲聋的掌声中从右侧退场。

希望你一切都好。

我们又挨过了一个了不起的英国冬天。不知道今年的夏季会在哪一天到来。

老天爷，圣诞节之后我就忙得不得了，不只是学院的事。你知道我很喜欢查克·贝里[2]，我还以为方圆几英里内只有我一个人是他的"粉丝"。但有天早上，在达特福德站（我就不写"火车站"这么长的词了），

---

1. "蓝瓶"（Bluebottle）：英国广播喜剧节目《蠢人秀》（*The Goon Show*）里的角色，声音尖厉，代表特征是会将自己的舞台动作直接念出来，如信里下一句。——译者注
2. 查克·贝里（Chuck Berry，1926—2017）：美国吉他手、歌手和词曲作者，是摇滚乐的先驱者之一。——编者注。以下脚注若无特别说明，均为编者注。

我拿着一张查克的唱片，有个人走了过来。我上小学的时候就认识他，就是7岁到11岁那几年。他买过查克·贝里的所有唱片，他的朋友们也都有，他们都是节奏蓝调的粉丝，我是说真正的R&B（黛娜·肖尔、布鲁克·本顿那种垃圾不算），像吉米·里德、"浑水"、查克、"嗥狼"、约翰·李·胡克，那些芝加哥蓝调乐手，实打实的真货，棒极了。波·迪德利也很不错。

总之，在车站遇到的这个人叫米克·贾格尔，他们一帮男男女女每周六早上都会在"旋转木马"见面，那是个有点唱机的小酒吧。然后，一月份的某天早上我正好经过，就决定进去找他。大家都很热情，我至少收到了十场派对的邀请。另外，米克是大西洋这一侧最棒的R&B歌手，没有之一。我用查克风格弹吉他（电的），我们找了贝斯手、鼓手、节奏吉他手，每周排练两三个晚上。快活极了。

当然啦他们都是有钱人，住在超大的独立别墅里，真疯狂，有个人家里甚至有管家。我和米克一起去的（当然是坐米克的车，我没有车），老天爷，我都不会说英语了。

"您想要点什么吗，先生？"

"伏特加和青柠，谢谢。"

"遵命,先生。"

我真觉得(自己)像个贵族,离开时差点没问我的王冠在哪。

这里一切都好极了。

我还在迷查克·贝里,最近通过芝加哥的切斯唱片公司搞到了一张他的黑胶唱片,比在英国买便宜。

当然我们这还有不少老家伙,克里夫·理查德,亚当·费斯,还有两个差劲的新人——谢恩·芬顿和约翰·莱顿,都是些你从来没听过的垃圾。除了那个意大利佬辛纳屈,哈哈哈哈哈哈哈。

我现在一点也不觉得无聊了。这周六我还有个通宵派对要参加。

> 我看了眼表,现在四点零五分
> 哦,我真不知道
> 自己是死是活

——摘自查克·贝里

《蹒跚摇摆》

一桶十二加仑的苹果酒,三瓶威士忌。她爸妈出门度周末去了，我要喝到趴下为止（我们很高兴）。

下个周六，米克和我会带两个姑娘去我们最喜欢的节奏蓝调俱乐部，在米德尔塞克斯郡的伊灵。

那儿有个吹电口琴的人叫西里尔·戴维斯，很厉害，总是醉醺醺的，不刮胡子，吹起琴来像个疯子，棒呆了。

好了，我想不出还有什么无聊事可以给你讲了，就写到这里吧，观众们晚安。

一个大大的微笑。

爱你

基思

还有谁能写这么多该死的废话

米克是大西洋这一侧最棒的R&B歌手,没有之一。

——基思·理查兹

—— 信件02

我的心跳差点停住了
海伦·凯勒致纽约交响乐团

1924年2月2日

  海伦·凯勒于1880年出生于亚拉巴马州,不到两岁就因病失去了视觉和听觉。尽管有这样一个充满挑战的人生开端,她仍然做了许多了不起的事。23岁时,她已经取得了许多成就,自传《我的故事》也已出版。多年间,她在世界各地巡回演讲,广受大众欢迎。她富有说服力的演讲涉及各种主题,包括她自己激励人心的人生故事。作为社会活动家,她积极地为边缘人群的福祉做出不懈努力,前后出版了十几本书,发表了多篇文章。1924年2月2日,贝多芬发表的《第九交响曲》在纽约卡内基音乐厅演出后的第二天早上,凯勒给纽约交响乐团写了一封感谢信,宣布自己取得了一项突破:她有了一种新能力,可以通过触觉"听到"音乐,用指尖作为桥梁,将旋律发出的振动和她心灵的耳朵联系在一起。

—— 信件正文

塞米诺大道93号,

森林山,长岛,

1924年2月2日。

纽约交响乐团,

纽约市。

亲爱的朋友们:

很高兴能够告诉你们,尽管我又聋又盲,昨晚通过广播收听贝多芬的《第九交响曲》时,我仍然度过了极为愉快的一小时。我不是说我能像其他人一样"听见"音乐,也不知道能否向你们解释清楚,我是如何从交响乐中获得乐趣的。连我自己都吃了一惊。我在面向盲人的杂志里读到过,广播正为世界各地的盲人带来欢乐。我很高兴知道盲人群体有了新的娱乐方式,但从未奢望自己也能参与其中。昨晚,我家正在收听你们对于那段不朽的交响乐章的精彩演绎,有人建议我把手放到收音机上,看能否感受到振动。他打开了收音机的盖子,我把手轻轻放到了灵敏的膜片上。我吃惊地发现,我不仅能感觉到振动,还能感受到激昂的节奏,感受到音乐的搏动和张力!不同乐器的振动相互交织,混杂在一起,这让我深深着迷。我能清晰分辨出圆号、鼓点、低沉的中提琴和小提琴。小提琴优美的声音流淌而出,划开了其他乐器的低音!当颤动的歌唱声从涌动的和谐乐声中一跃而起,我立刻便知道那是人声。我感受到音乐逐渐变得欢快激昂,仿佛燃烧的火焰一般快速上扬,我的心跳差点停住了。女声合唱仿佛是世间一切天使般声音的化身,汇成一股和谐美妙、鼓舞人心的声浪。伟大的交响乐在我的手指上阵阵鼓动,时而停滞,时而流淌,动人心弦。然后所有的乐器和人声都爆发了,仿佛一片天籁般的振动之海——然后又像原子消耗后的风一样渐渐平息,结束在由甜美音符组成的细雨里。

当然,这并不能算是我"听见了",但我确实感知到了那些音调和和声,体会到了无与伦比的美丽和宏伟。通过指尖传来的音乐,我还感受到,或者说是自以为感受到了大自然温柔的声音——摇曳的芦苇和风,淙淙的流水声。这还是我第一次因为多种音调的振动而如此欣喜。

当我"听"着黑暗中的旋律,阴影和声音充满了整个房间，我忍不住想起那位伟大的作曲家，他在世间放出了如此美妙的"洪水"，而且和我一样是个聋子。我忍不住惊叹于他那无可阻挡的精神力量，他自身处于痛苦之中，却为他人带来了如此多的欢乐——我就那么坐着，用手感受着这首壮丽的交响乐，它像海浪般阵阵敲打着他和我灵魂的寂静海岸。

请允许我表达对你们的感激，感谢你们优美的音乐为我家和我个人所带来的无上乐趣。我也想感谢WEAF电台，感谢他们通过广播为全世界散播快乐。

致以最亲切的问候和最良好的祝愿，

你们最真诚的，

海伦·凯勒

—— 信件 03

谢谢，希望你们噎死

披头士乐队的"粉丝"致耐克公司

1987 年 3 月 30 日

    1987 年 3 月，电视上播放了一则耐克气垫鞋的黑白广告。广告本身平平无奇，但有一个细节值得一提：它的配乐摘自历史上最出名的乐队之一——披头士乐队那神圣的唱片曲库。这是了不起的披头士四人的歌曲首次用于广告。让事情更复杂的是，尚在人间的几名乐队成员对此并不知情。歌曲的使用权一部分是从约翰·列侬的遗孀小野洋子那里取得的，她似乎并没有和其他成员商量。结果并不令人惊奇：一场无比混乱的法律纠纷就此拉开帷幕。此案仿佛一头多脚怪兽，案情涉及方方面面，经过两年的漫长撕扯，才终于在 1989 年以庭外和解的方式告终。广告本身被永久禁播。早在广告刚播出不久的时候，广告商就得到了报应：一位愤怒的披头士粉丝给耐克公司的广告部寄来了这封信。据说，这封信至今仍悬挂在耐克公司的总部。

—— **信件正文**

1987年3月30日

耐克公司

广告/营销部

西南莫瑞大街3900号

比弗顿,俄勒冈州97005

亲爱的先生/女士:

这是一封投诉信,投诉对象是我昨天在电视上看到的你们的一则令人作呕的广告。你们那毫无品位可言,为所谓的"迈克尔·乔丹"鞋所制作的广告是对所有披头士乐队"粉丝",乃至所有音乐爱好者的剥削、亵渎和彻底的侮辱。在广告中,你们对披头士的歌曲《革命》的使用不仅贬低了这首歌曲的价值,也是你们作为企业毫无操守的证明。显然,你们的策略是利用披头士乐队在全球的知名度来帮助推销产品。你们已经沦落到如此境地了吗?用老生常谈的话说:"难道世间已无高尚可言?"你们唯一的动机就是贪婪地赚更多的钱,为了达到这一目的,你们似乎根本就不在乎是否践踏和玷污了全世界千百万人的宝贵回忆。你们这种人令我作呕；你们这些卑鄙、空虚、恶臭难闻的变态。你们缺乏感性的程度与你们那面目可憎的程度简直不相上下。说句公道话，你们在约翰·小野·列侬去世后等待了将近七年才行动，但这显然并非出于对逝者的尊重（哈！那是什么东西？）。

我在高中时打篮球，一直到大学，一直到现在，我都在购买你们的运动鞋。然而，就在今天，我向你们保证，我和我的许多朋友都再也不会以任何方式响应你们令人恶心的公司销售策略，永远不会。要知道，正是因为世上有你们这样的人存在，安乐死才会是个大有可图的行业。

谢谢，希望你们噎死。

此致敬礼。

—— 信件04
我紧随在你身后
莱昂纳德·科恩与玛丽安·伊伦
2016年

1960年,莱昂纳德·科恩从蒙特利尔搬到了伊兹拉岛。在接下来的七年间,他断断续续地在这个宁静的希腊岛屿上居住,其间创作了一本诗集和两本小说。到岛上不久,他遇见了玛丽安·伊伦并爱上了她。这位23岁的挪威女人从1958年起就和丈夫一起住在岛上。之后她抛弃了丈夫,也抛弃了年幼的儿子。两人恩爱甚笃。伊伦成为科恩的缪斯女神,是他创作许多歌曲的灵感来源,其中包括1967年的作品《别了,玛丽安》。但后来他们最终渐行渐远,在20世纪70年代分道扬镳。数十年后的2016年,科恩听说伊伦的身体每况愈下,恐怕时日无多,就给她写了一封告别信。他很快收到了回信。伊伦去世后仅仅数月,科恩也撒手人寰。

—— **信件正文**

啊,玛丽安,现在我们真的都老了,身体也快散架了,我想我很快就会随你而去。请记得,我紧随在你身后,只要你伸出手,就能抓住我的。

你知道我一直爱着你,爱你的魅力,也爱你的智慧。关于这一点,我不必再说什么,你都了然于心。现在,我只想祝你旅途一路顺风。

再见了,老朋友。永无止境的爱,路上见。

* * *

亲爱的莱昂纳德:

昨天晚上,玛丽安于睡梦中逐渐离开了这个世界。她毫无痛苦,身边围绕着好友。

你的信寄到时,她还神志清醒,可以说笑。我们大声朗读了你的信,她露出了只属于玛丽安的微笑。听到你说你紧随在她身后,伸手可及,她也抬起了手。

你了解她的情况,这让她安心许多。你对旅途的祝愿也给了她更多力量。詹和其他朋友亲眼看到了这封信对她而言有多么意义非凡,都想对你表达深深的谢意,感谢你回信及时,又如此饱含同情心与爱意。

在她人生的最后一小时里,我一直握着她的手,哼唱《电线上的鸟儿》[1],听着她浅浅的呼吸。当她的灵魂飞出窗外,去开展下一段新的冒险,我们在离开房间前都亲吻了她的额头,并低喃你那永世流传的话语:

别了,玛丽安!

1.《电线上的鸟儿》(*Bird on a Wire*):科恩的歌曲。

—— 信件 05
感谢你
马克·陶伯特医生致戴维·鲍伊

2016 年 1 月

2016 年 1 月 10 日，在戴维·鲍伊的最新专辑《黑星》发行仅仅两天后，就传出了他与癌症斗争 18 个月后去世的噩耗，全世界数百万人为之心碎。鲍伊是一位真正的先知，这样的人在一个时代里最多只有一位。他对世界音乐的影响持续至今。他之所以将最后一张专辑的发行时间定得与自己的死亡如此接近，自有一个完美的理由。这就是他对世界的告别。五天后，鲍伊的儿子公布了一封由马克·陶伯特医生写来的感谢信。陶伯特医生是一位临终关怀医师，为加的夫的维林德尔大学的国家卫生服务基金会工作。

―― **信件正文**

亲爱的戴维：

哦，不，这不是真的——在 2016 年 1 月这段灰暗、寒冷的日子里，所有人都还在消化你的死讯，我们大多数人都一如往常地工作着。那周的星期一，我和一位即将走到人生终点的病人聊天，我们谈起你的死讯和你的音乐，并以此为契机，谈到了许多沉重的话题，一些很难与时日无多的人直接讨论的话题。老实说，你的故事让我们得以无比坦诚地谈论死亡。要如何对病人提起这个话题，是让很多医生、护士都感到为难的一件事。在我谈及更详细的谈话内容之前，我想先把压在心口的另外几件事说出来，希望你不会觉得太过无聊。

为了 20 世纪 80 年代，感谢你。你的《改变一个鲍伊》专辑让我们度过了许多快乐时光，特别是一趟在达姆施塔特与科隆之间往返的旅程。我和朋友们恐怕会永远将《钻石狗》《叛逆叛逆》《中国姑娘》和《黄金时代》与那段日子联系在一起。不用说，我们在科隆市玩得很开心。

为了柏林，感谢你。特别是在早期，你的歌曲为联邦德国和民主德国发生的事提供了音乐上的注脚。我至今存有《英雄》的黑胶盘，听说你去世时又拿出来听了一遍（你会很高兴地听到，在这个月底于珀纳斯"领航员"酒吧召开的模拟音乐俱乐部活动上，《英雄》也会亮相）。有些人也许会把戴维·哈塞尔霍夫[1]与柏林墙的倒塌和德国统一联系在一起，但许多德国人恐怕更希望点根雪茄塞到哈塞尔霍夫先生嘴里，免得再听广播里没完没了地播放《我一直寻求自由》。对我来说，那段历史的背景乐始终是《英雄》。

为了我的朋友伊凡，感谢你。他去看了你在加的夫的一场演出。他姐姐哈弗那晚负责守门，我听说伊凡是逃票溜进去的（他向你道歉！）。你在舞台上冲他和他的朋友挥手致意，这是他永生难忘的记忆。

为了《拉撒路》和《黑星》，感谢你。我是一位临终关怀医师，你在死亡前后所做的一切对我、对我的许多同僚都产生了巨大的影响。你的专辑里到处都是典故、暗示和影射。和往常一样，你的作品并不容

---

[1]. 戴维·哈塞尔霍夫（David Hasselhoff, 1952— ）：德国裔演员、歌手，作品《寻找自由》（*Looking for Freedom*）在柏林墙倒塌期间在德国很受欢迎。

易解读，但也许这并不是重点。我多次听说过，你在生前做事有多么一丝不苟。对我来说，你在家里安详地死去，与你充满告别信息的专辑发布时间离得如此之近，恐怕不能用巧合来解释。这一切都经过精心策划，是一件死亡艺术作品。《拉撒路》的视频寓意深刻，许多影像在不同人心里会有不同的解读。对我来说，它所讲的是一个人在面对无可避免的死亡时，要如何处理自己的过去。

你死在家中。工作时，和我交谈过的许多人都认为大多数死亡发生在医院，发生在冷冰冰的病床上。我想你恐怕是自己选择要在家中死去，并为此做了许多细节上的准备。这也是临终关怀的目标之一，而你做到了，这也许会促使其他人将其纳入考虑。你死后几天发布的照片据说是在你生命中最后几个星期里照的。我不知道这是不是真的，但我相信，有很多人都渴望像你在照片里那样，能将一身西装穿得如此潇洒。你的样子看起来好极了，和往常毫无不同，仿佛正在藐视那些常常在生命最后时光出现的骇人怪兽。

为了控制症状，你恐怕在疼痛、恶心、呕吐和呼吸困难等方面咨询过临终治疗医护人员的建议，我想他们都提供了专业的意见。我猜想，他们也和你讨论了情感上的痛苦。

对于预先护理计划（也就是赶在情况恶化、无法表达意愿之前，预先做出医疗护理上的安排），相信你有过不少打算和期待，提出了许多预先护理相关的决定和要求。你也许在家中的床榻上将这些都写成了书面文件，这样一来，无论你的交流能力如何，来见你的人都能明白无误地知道你想要什么。这是不只临终关怀医护人员，还有其他所有医护从业人员都希望提供并且改善的服务领域。如此一来，并不是每一起与健康有关的突发事件都只有以救护车紧急送往医院这唯一一条出路。特别是对于那些已经无法为自己发言的人而言。

我想，在你生命的最后几天、几小时，恐怕没有人给你进行心肺复苏术（CPR），连这个念头都不曾有过。遗憾的是，那些没有主动选择放弃的病人仍然默认会接受这样的治疗。在此过程中，病人要接受物理上的胸腔按压，有时会按到骨折。此外还有电击、注射、安插人工气管，而在那些癌细胞已经扩散至其他器官的病人身上，复苏术的有效率只有1%到2%。你很可能让医疗团队出具了一份《拒绝心肺复苏术》同意书。我们在威尔士也在进行类似的尝试，作为

"谈谈CPR"宣传活动的一部分,为接受临终关怀治疗的患者提供这一选项。我无法想象讨论这件事是一种怎样的体验,但即便在生命中这最具有挑战的艰难时刻,你也同样是一位英雄。

为你服务的医护人员一定都具备完善的临终关怀护理知识和技术。可悲的是,这些不可或缺的教育在初级医护人员的培训中时有缺失,许多人在计划求学之路时也会忽视或小觑它的重要性。我想,如果你有朝一日归来(就像拉撒路那样),你一定会成为推广临终关怀护理培训的忠实拥趸。

回到我开头提到的与病人的谈话吧。那位女士刚刚得知已是晚期,癌细胞已经扩散,她的生命恐怕只剩下一年多的时间了。她与我谈起你,谈到她十分喜欢你的音乐,但对你的Z字星辰[1]的扮相不以为然(她不太确定你是男是女)。在她的记忆中也有一些地点和场景,是以你独树一帜的音乐作为背景乐的。然后我们谈起了什么样的死亡才算好,死亡时刻一般都

---

1. Z字星辰(Ziggy Stardust):Z字星尘是戴维·鲍伊创作的一个虚构人物,1972年至1973年间,鲍伊多以此形象登台表演。同名的歌曲《Z字星尘》收录于专辑《Z字星尘与火星蜘蛛的兴起与衰败》(*The Rise and Fall of Ziggy Stardust and the Spiders from Mars*)。

是什么样的。我们谈起临终关怀，谈起它能怎样帮到人。她给我讲了她父母的死亡，讲到她多希望他们病重时能待在家里，而不是住进病房或急救室。她还说，如果她的症状过重，无法在家里治疗，她也愿意被转到本地的临终关怀医院去。

我们都在想，当你咽下最后一口气时，有谁陪在你身旁，有没有人握着你的手。我相信，她在想象自己的临终时刻时也想过这些，这对她而言无比重要。而你为她提供了一个机会，让她得以对我这样一个陌生人表达最私密的渴望。

感谢你。

为了《拉撒路》和《黑星》,感谢你。我是一位临终关怀医师,你在死亡前后所做的一切对我、对我的许多同僚都产生了巨大的影响。

——马克·陶伯特医生

—— 信件 06

前所未有的至高音乐享受

夏尔·波德莱尔致理查德·瓦格纳

1860年2月17日

    由于参与政治活动,德国作曲家理查德·瓦格纳在1849年被迫离开祖国,先后在瑞士、威尼斯和法国生活。他的流亡生活一共持续了十三年。在这段动荡的日子里,就在返回德国之前不久,瓦格纳作为指挥在巴黎的旺塔杜剧院举办了几场音乐会,法国著名诗人夏尔·波德莱尔也是听众之一。他之前并不熟悉瓦格纳的作品,但在演出中被其深深征服。他认为这些演出是他人生中"前所未有的至高音乐享受",深受感动,并在最后一场演出结束数日后给瓦格纳写了一封信。

—— **信件正文**

亲爱的先生：

我一直认为，伟大的艺术家无论享有多么高的声望，总不会对发自内心的真诚赞美无动于衷，特别是当那赞美同时也是在表达感谢。当这感激的呼喊来自一名法国人之口，它就更有特别的价值了：法国人总是有种过于热情的倾向，而且在我们这个国家，人们对音乐的鉴赏能力绝不逊于对绘画和诗歌的。首先，我想告诉您，是您为我带来了人生中前所未有的至高音乐享受。到了我这个年纪，给名人写信早已算不得什么消遣。我本来犹豫了很长时间，不知道是否该向您倾诉我满腔的赞美之情，但我几乎每天都能看到一些恬不知耻的可笑文章，使出浑身解数，竭力诋毁您的天才。您并不是第一个让我为自己的国家感到羞愧和脸红的人。最终，是愤怒驱使我向您表达热切的感激。我对自己说："我要与那些愚昧之人拉开距离。"

第一次去意大利剧院听您的作品时，我其实并没有多少期待，而且必须承认，我心里满是恶毒的偏见。然而我自有借口：我经常上当受骗，也听过太多自命不凡的吹牛大王写出的音乐。但您一瞬间就征服了我。我的感受无法用语言来描述，但如果您能好心地忍住不笑，我愿意尽力为您解释一番。一开始，我觉得自己仿佛听过这些全新的音乐，但后来经过思考，我明白了这种幻觉是怎么来的。我感觉这音乐仿佛是属于我的，我就像一个人认出他命中注定会爱上的事物那样认出了它熟悉的模样。在缺乏智慧的人耳中，这句话一定无比荒谬可笑，何况说出它的我根本不懂音乐，所受的教育也仅限于听过韦伯和贝多芬的几首优秀作品（当然，那都是非常愉快的享受）。

接下来，让我印象最深的是作品的恢宏感。乐曲描绘着恢宏的事物，煽动出恢宏的气势。在您的所有作品中，我都能听到最宏伟的大自然所发出的肃穆而壮丽的声响，还有人类庄严而深远的激情。您的作品会瞬间将人裹挟其中，全部身心都被音乐所占据。在最为奇特的几首曲子里，那首试图描写宗教极乐境界的乐曲给我带来了前所未闻的音乐感受。《宾客入场曲》和《婚礼大合唱》都是巨作。我从中感受到一种超越了我们自身的、更为宏伟磅礴的生命。还有一点：我经常会产生一种相当奇异的感受，一种因为理解了音乐、允许自己被音乐贯穿和攻陷所带来的骄傲与喜悦——那是一种真正感官上的愉悦，仿佛整个人腾空而起，或在海浪上翻滚。与此同时，那音乐还会时不时地激发对生命的豪情。总体来说，那些含义深远的和声对于我，就像是能够激发想象力的兴奋剂。最后，我还有一些其他感受，请您不要见笑，它们的出现恐怕是我个人思维方式和日常兴趣的产物。我感到您的作品里处处充斥着让人心醉神迷、浑然忘我，野心勃勃，想要再上一层楼，以及才华横溢、至高无上的东西。如果可以用绘画来打个比喻，我眼前仿佛出现了一大片辽阔的深红色。如果说红色代表着激情，我眼前的颜色则从深到浅，涵盖了所有种类的红，从红到粉，从粉又变成了炉子发出的炽白的光焰。它似乎很难再变得更亮了，或者说，这根本不可能。然而，偏偏还有最后一根引信，在白色的背景上闪过一道白色的光痕。如果您不介意我这么说，这道光痕象征着灵魂在激情达到顶峰时所发出的终极呐喊。

听过了您的《唐豪瑟》和《罗恩格林》，我动笔想写几篇感想，然而很快就发现纸笔无法记录下我想说的一切。同样，这封信也可以无止境地写下去。如果您一直读到了这里，十分感谢。我还有几句不长的话要说。从听到您音乐的那天起,我就不停地对自己说:"今晚要是能听点瓦格纳就好了!"遇事不顺的时候更是如此。毫无疑问,还有许多人怀有和我相同的感受。大众的反应想必令您满意,他们的直觉远比记者的伪科学分析强得多。您为什么不多开几场音乐会,增加几篇新曲目呢?您已经让我们尝到了全新音乐的甜头,难道如今还有权利藏起作品,希望有所保留?先生,我要再次向您表示感谢:在心情低落的时候,是您让我回过神来,重新将注意力放在伟大的事物上。

夏尔·波德莱尔

我没有附上地址,以免您误会我别有所图。

我听过太多由自命不凡的吹牛大王写出的音乐。但您一瞬间就征服了我。[1]

——夏尔·波德莱尔

---

[1]. 根据原版书,此处引文与原文略有出入。

—— 信件 07

我面临着两大阻碍

弗洛伦斯·普莱斯致谢尔盖·库谢维茨基

1943 年 7 月 5 日

弗洛伦斯·普莱斯 1887 年出生于阿肯色州小石城。刚满四岁时,她就在身为音乐老师的母亲的指导下第一次举行了钢琴独奏会。她对音乐的热爱随着年龄增长不减反增,成年时已经完全沉迷在几乎完全由白人男性所统治的古典乐世界里。1933 年,尽管有种族和性别上的双重限制,普莱斯仍然创造了历史:芝加哥交响乐团演奏了她的作品《E 小调交响曲》,这不仅是芝加哥交响乐团,也是所有大型交响乐团第一次演奏由美国黑人女性创作的乐曲。令人沮丧的是,这在当时还是很罕见的事。在她职业生涯的大部分时间里,普莱斯都在积极地开辟一条能够让听众接触到她作品的道路。1943 年,她给谢尔盖·库谢维茨基写了一封信,恳请他考虑演奏她的作品。库谢维茨基是位受人尊敬的指挥家,领导波士顿交响乐团长达二十五年之久。这一次,与其他许多时候一样,她的信再次石沉大海。

―― **信件正文**

亲爱的库谢维茨基博士：

首先，我面临着两大阻碍：性别和种族。我是个女人，血管里流着一部分黑人的血。

丑话既已说在前头，所以能否请您暂时抛下可能的看法：女人作曲总是过于感情用事，缺乏阳刚之气和思想深度——先听听我的作品呢？

至于种族这一阻碍，请您放心，我既不会期待也不会要求因此而得到任何特殊待遇。我希望得到的是纯粹根据实力而做出的评判。最困难的是让那些从未听过我作品的指挥家愿意考核哪怕一份乐谱。（我在东部地区几乎没有知名度，人们最多只知道我创作过两首歌，玛丽安·安德森在她的大部分演出中都会演唱至少其中一首。）

我承认，我相当缺乏积极进攻的胆识，能给您写这封信，已经是与无时不在的胆怯斗争后胜利的结果。

我在南方出生，并在那里度过了大部分童年。我可以自信地说，我了解真正的黑人音乐。在某些作品里，我毫不吝啬地使用了黑人音乐的表达风格。在另外一些作品里，它只是乐曲主题的调味剂。还有些时候，创作灵感完全来自我种族背景的另外那一半。出于实用目的，我一直在努力培养并保持在两种风格中的表达能力，但我坚定不移地相信，从大熔炉中能够诞生出非常美丽、非常美国的民族音乐，正如我们这个国家本身。

不知能否请您听听我的曲子？

您真诚的，
弗洛伦斯·普莱斯

我坚定不移地相信,从大熔炉中能够诞生出非常美丽、非常美国的民族音乐,正如我们这个国家本身。

——弗洛伦斯·普莱斯

—— 信件 08

手下留情，年轻人
查尔斯·明格斯致迈尔斯·戴维斯
1955 年 11 月 30 日

1955 年 11 月初，美国爵士乐杂志《强拍》刊登了文章《迈尔斯：东山再起的小号手对如今的爵士乐圈直言不讳》。这是一篇对知名爵士小号手兼作曲家迈尔斯·戴维斯的采访。在采访中，戴维斯格外直率地批评了许多同行乐手，包括爵士乐世界中的另一位巨匠，知名低音提琴家、作曲家查尔斯·明格斯。

明格斯刚刚参与戴维斯《蓝调心情》专辑的制作，也在自己的个人厂牌下发行了作品。戴维斯评论明格斯的乐曲编排"令人压抑"，是"索然无味的现代绘画"。对于这样的攻击，明格斯并没有保持沉默，而是以书信的形式进行了回应。他的信很快就发表在《强拍》杂志上。

—— **信件正文**

当我坐下来,想给迈尔斯·戴维斯写一封公开信,将我的想法诚恳地表达出来时,有四期《强拍》杂志的内容浮现在我的脑海里:"大鸟"[1] 的"盲测"访谈[2],我的,迈尔斯的,还有迈尔斯最近的"东山再起"采访。(在写这封信之前,我已经在脑海里起过好几次稿,但都不太满意。昨晚,我翻看了鲍勃·帕伦特在俱乐部演出时给"大鸟"拍的一些照片,这份终稿终于成形。)如果这篇东西要配图,那就要配"大鸟"的这张照片。他站在台上低头看着蒙克,眼神中的爱意恐怕是爵士圈其他地方根本找不到的!

....

"大鸟"的爱意热情明显,在他的"盲测"访谈中也有所体现。但你去看看迈尔斯的"盲测"!不如这

---

[1]. "大鸟"(Bird),原名查理·帕克(Charlie Parker,1920—1955):美国黑人爵士乐手。
[2]. "盲测"访谈:对爵士乐手的一系列访谈,访谈者会播放爵士乐,但不告诉访谈对象乐曲的出处或作者,然后请访谈对象加以评论。——译者注

样，把我自己的"盲测"也找出来看看吧！明白我的意思了吧？再看看迈尔斯最近的"东山再起"采访。等迈尔斯回来，又开始演出，他要以什么样的态度和他人共事？会像不久之前跟麦克斯、蒙克和我在布鲁克林的演出时一样吗，他不停地叫蒙克"一边去"，因为他的和弦都错了？还是像更近的一次录音那样，他咒骂、责备、争吵，威胁蒙克，问鲍勃·温斯托克为什么要雇个外行人来，问蒙克就不能在他小号独奏的时候一边待着去吗？我们这些"大鸟"的弟子到底怎么了？还是说，迈尔斯觉得我把自己也归入其中，纯属脸皮太厚？

看来我们有些人的思想还没发育完全，甚至无法意识到这宏伟的地球上还存在着其他人，和我们一样有血有肉的人。就算他们站都站不直、动也不会动，也不会"摇摆"，他们也和我们一样平等，就算以我们的标准来看，他们错得离谱。是的，迈尔斯，我要为我愚蠢的"盲测"而道歉。我很乐意道歉，因为我从中学到了一点东西。无论人们有多想说戴维·布鲁贝克根本摇摆不起来，无论他们在酝酿什么、谋划什么——那都无足轻重。

这不是因为戴维上了《时代》杂志——还挣了点

钱，而是因为戴维自己真诚地认为他的确在摇摆。他感受到某种律动，演奏着某种律动，这种律动带给他愉悦和兴奋，因为他确实在真诚地做他戴维·布鲁贝克想做的事。迈尔斯，正如你在采访中所说"如果一个人让你忍不住跺脚，感到有什么在背后流窜之类的"，那么以你的定义来看，没有比戴维更能摇摆的人了，迈尔斯，因为不管在纽波特还是其他地方，戴维都能让满场的听众跺起脚，甚至拍起手来……

迈尔斯，你难道不记得了，那首《明格斯手指》写于1945年，那时的我还是个22岁的年轻人，还在上学，拼尽全力想用艾灵顿公爵的风格写歌？迈尔斯，我体重168斤已经是十年前的事了。那些衣服已经旧了，也不合身了。我是个男人，我体重现在195斤，我有自己的想法。我的思考方式和你不一样，我的音乐也不只是为了让听众跺脚、感到有什么在背后流窜。当我感到快乐、无忧无虑，我就会写出那样的作品，或者演奏出那样的气氛——感到幸福、感到沮丧时也一样。

我演奏爵士乐，并不意味着我会忘了我自己。透过爵士乐，我演奏的、创作的就是我，以我感受的方式。音乐是表达情感的语言，或者说曾经是。如果有人想要逃避现实，我不指望他能欣赏我的音乐；如果这样的人真的开始喜欢我的音乐，那我倒要担心自己的创作是不是出了什么岔子。我的音乐富有生命，它唱的是死者和生者、善良与邪恶。它很愤怒，但它真实，因为它明白自己很愤怒。

我知道你正要复出，迈尔斯，你不知道我有多支持你。你现在的演奏是我所听过的最棒的迈尔斯，我相信你也很清楚，你是一位真正的美国爵士乐风格大师。在创新方面，你总是令人耳目一新，而且老实说，你对自己的评价过低——至少表面看起来是这样，而其他同行也一样。说真的，迈尔斯，我爱你，希望你明白，这里需要你。你在爵士乐界的地位太重要，对于其他同样在努力创作的乐手，你说话时不能不格外小心一点……

还记得我吗，迈尔斯？我是查尔斯。没错，明格斯！十一年前，在"幸运"汤普森的推荐下，你在我的唱片中担任了第三小号手，那时我们都在加州。手下留情，年轻人。踏在垫脚石上时别踩太狠……

如果你能回应这份公开信，迈尔斯，有件事我想问你。你和奈特·亨托夫谈起在过去两年里录的那些曲子。你说除了两张黑胶唱片，剩下的你现在都不喜欢了。既然如此，你又为什么会一首接一首地录下去？不知道你是否已经忘记了那些乐曲的名字？此外，你是不是也忘了真正的艺术家不该把这些连他自己都不喜欢的音乐卖给喜欢爵士乐的大众，也不该为了你自己都承认没有录好的作品收取报酬？

       祝你复出顺利，迈尔斯。

我的音乐富有生命，它唱的是死者和生者、善良与邪恶。它很愤怒，但它真实，因为它明白自己很愤怒。

——查尔斯·明格斯

—— 信件09
朋克是我发明的
莱斯特·邦斯致《东村之眼》杂志
1981年

1982年，年仅33岁的莱斯特·邦斯英年早逝。他度过了短暂却极富影响的一生。在他死后将近四十年里，他的声名依然不减当年：他是流行音乐领域最擅于雄辩，也是最敢发言的乐评人之一。邦斯出身于加利福尼亚州南部，一开始为《滚石》杂志撰写乐评，不久后搬到了底特律，开始全职为《克里姆》[1]杂志工作。在那里，他独树一帜的文风奠定了杂志肆无忌惮的态度和基调。作为一位在早期就参与20世纪70年代朋克运动的斗士，邦斯在该年代后期搬到纽约市后一直密切关注着朋克乐的变革，持续动笔记录下摇滚乐界的寓言和谎言，直到因一次意外的药物过量猝然离世。1981年，邦斯厌倦了对关于朋克乐起源的无止境的争论，给《东村之眼》杂志写了下面这封信。信

1.《克里姆》(*Creem*)：美国音乐杂志，自称为"美国唯一的摇滚乐杂志"。

中以他标志性的风格将激情与嘲讽混合在一起,试图永久性解决一个许多人挂在嘴边的疑问:是谁发明了朋克?

―― **信件正文**

亲爱的《东村之眼》杂志：

我在贵刊上前后刊登的不同文章里读到，理查德·赫尔[1]和约翰·霍姆斯特罗姆[2]都发明了朋克，而且是在不同时间先后发明的。于是我想，不如我也来讲讲对这个话题的看法。朋克是我发明的。这是众所周知的事实。但我是从格雷格·肖[3]那儿偷的，他还发明了强力流行乐（power pop）。肖是从戴夫·马什[4]那儿偷的，马什曾经看过问号与神秘主义者乐队的现场演出。马什是从约翰·辛克莱[5]那儿偷的。辛克

---

1. 理查德·赫尔（Richard Hell, 1949— ）：美国歌手、词曲作者、贝斯手和作家。
2. 约翰·霍姆斯特罗姆（John Holmstrom, 1954— ）：美国漫画家和作家。
3. 格雷格·肖（Greg Shaw, 1949—2004）：美国作家、出版商、杂志编辑和音乐史家。
4. 戴夫·马什（Dave Marsh, 1950— ）：美国乐评人、作家、编辑和电台脱口秀主持人。
5. 约翰·辛克莱（John Sinclair, 1941— ）：美国诗人、作家和政治活动家。他的诗歌风格是"爵士诗"，大部分带有音乐伴奏，他以音频的形式发表了大部分作品。

莱是从罗伯·泰纳[1]那儿偷的。泰纳是从伊基[2]那儿偷的。伊基是从卢·里德[3]那儿偷的。里德是从吉尼·文森特[4]那儿偷的。文森特是从詹姆斯·迪恩[5]那儿偷的。迪恩是从马龙·白兰度那儿偷的。白兰度是从罗伯特·米彻姆[6]那儿偷的。看他吸大麻被现场逮捕时照片上的那副表情。米彻姆是从亨佛莱·鲍嘉[7]那儿偷的。鲍嘉是从詹姆斯·卡格尼[8]那儿偷的。卡格尼是从

---

1. 罗伯·泰纳(Rob Tyner, 1944—1991): 美国音乐家, 以底特律前庞克乐队 MC5 的主唱而闻名。
2. 伊基·波普(Iggy Pop, 1947—): 美国歌手、音乐家, 被认为是对朋克音乐有影响力的创新者。
3. 卢·里德(Lou Reed, 1942—2013): 美国摇滚乐歌手和吉他手, 是地下丝绒乐团 1965 到 1973 年的成员之一。
4. 吉尼·文森特(Gene Vincent, 1935—1971): 美国音乐家, 是摇滚与洛卡比里风格的先锋。
5. 詹姆斯·迪恩(James Dean, 1931—1955): 美国演员。迪恩的形象代表了他所处年代青年的反叛和浪漫, 尝试通过各种叛逆社会行为来表达内心的不满。
6. 罗伯特·米彻姆(Robert Mitchum, 1917—1997): 美国电影演员、作家、作曲家和歌手。米彻姆是黑色电影的代表人物, 被视为 20 世纪五六十年代反英雄电影的先驱。
7. 亨佛莱·鲍嘉(Humphrey Bogart, 1899—1957): 美国演员。
8. 詹姆斯·卡格尼(James Cagney, 1899—1986): 美国舞台剧和电影演员, 舞者。

俊小子弗洛伊德[1]那儿偷的。弗洛伊德是从哈利·寇斯比[2]那儿偷的。寇斯比是从泰迪·罗斯福[3]那儿偷的。老罗斯福是从比利小子[4]那儿偷的。比利小子是从麦克·芬克[5]那儿偷的。芬克是从"石墙"杰克森[6]那儿偷的。杰克森是从拿破仑那儿偷的。拿破仑是从伏尔泰那儿偷的。伏尔泰是从一个无名酒鬼那儿偷的,当时酒鬼躺在巴黎的水沟里呼呼大睡,伏尔泰顺手牵羊。你们这些以写字为生的人应该能理解,版税支票迟迟不来的日子是多么难熬。酒鬼是从他母亲那儿偷的。她是个牙齿都掉光了的老太婆,年轻时靠卖身为

---

1. 俊小子弗洛伊德(Pretty Boy Floyd,1904—1934):原名查尔斯·弗洛伊德,美国银行抢劫犯,其犯罪活动在20世纪30年代受到了广泛的新闻报道。他在抢劫期间烧毁了抵押文件,使许多人免于债务。
2. 哈利·寇斯比(Harry Crosby,1898—1929):美国诗人、出版商,生活优裕,在某种程度上是美国文学中"迷惘的一代"的缩影。
3. 泰迪·罗斯福(Teddy Roosevelt,1858—1919):即西奥多·罗斯福,第二十六位美国总统,俗称老罗斯福。
4. 比利小子(Billy the Kid,1859—1881):原名亨利·麦卡蒂,美国罪犯,曾经害8人,21岁时遭枪杀而死。据传言,多数时间,他是友善而优雅的。
5. 麦克·芬克(Mike Fink):美国传说中的英雄,被称为"龙骨船之王",是穿行于俄亥俄河和密西西比河之上的龙骨船上那些强硬而嗜酒的人的代表形象。
6. "石墙"杰克森(Stonewall Jackson,1824—1863):美国南北战争中联盟军的将军。

生，后来太老太丑就去当了裁缝，可是技术也不怎么样，双手抖个不停，缝出来的针脚四处漏风，做的裙子会在众目睽睽之下从优雅的巴黎妇人身上掉下去。戈黛娃夫人[1]的传说就是这么来的。戈黛娃夫人也是个朋克，她的朋克是从老太婆身上偷来的，为了报复。她的马则是从她身上偷来的。不久之后，这匹马就被人骑着上了战场，壮烈牺牲，骑马的将军差点没来得及从马身上把朋克偷走。将军是个重度酗酒者，他醉倒后会一连昏迷好几个星期，甚至好几个月，所以他忘了自己偷过朋克，也忘了曾经拥有过朋克。他忘了朋克是什么，这个词又是什么意思。和我们所有人一样。但是某天晚上，他喝得醉醺醺的，对另一个记忆力尚存的酒鬼不小心讲出了朋克那如圣杯般珍贵的古老秘密。这酒鬼平时就是个扒手。等将军清醒过来，他谎称自己是朋克的所有者，但某天晚上他醉倒时，将军偷走了他的朋克。将军信了他的话，但后来他又喝醉了，又一次彻底忘记了朋克。所以，朋克可能已经遗失在历史的缝隙中了。约翰·霍姆斯特罗姆是个挨家挨户上门推销的铝制墙板销售员，理查德·赫尔

---

[1]. 戈黛娃夫人（Lady Godiva）：传说曾为了让丈夫给市民减税，裸体骑马绕城一周。

在中西部农场打工,把阁楼上的干草往下铲。而朋克乐的创造者——不用提醒你也该知道是我了吧——我此时此刻不是摇滚乐评人,也不是让很多人听着火大,只有一小部分有远见卓识的人才能欣赏的乐手,而是耶和华见证人教派的布鲁克林总部里一位身兼数职的资深干部。我不会为《村声》杂志采访退化乐队,而是会去给《警醒!》撰写名为《弹簧:奇迹金属》的文章,在 1978 年内发表。那也同样值得骄傲。

莱斯特 · 邦斯

—— 信件 10
为白痴而生的作曲家
埃里克·萨蒂致让·普伊

1917 年

古怪、荒唐、奇特,这些词常用来形容埃里克·萨蒂的为人和他的作品。萨蒂是位广受爱戴的法国钢琴家,他琴技有限,但创作的乐曲因其叛离传统、充满棱角又生动活泼的特质和满溢而出的才华而受到广泛关注。但在接受他人批评这件事上,萨蒂就没那么成功了。1917 年 5 月 18 日,一部名为《游行》的芭蕾舞剧在巴黎的夏特列歌剧院首次公演。本剧由萨蒂作曲,巴勃罗·毕加索提供舞台设计。让萨蒂十分恼火的是,尽管有这样星光熠熠的制作团队,本剧仍得到了音乐评论家让·普伊的猛烈抨击。在开演之前,萨蒂还和普伊握过手,这让萨蒂更加感觉他的评论是对自己的背叛。他给普伊写了一封短信,之后又写了第二封,然后又写了第三封。普伊理智地保持了沉默,转去起诉萨蒂,告他诽谤罪。作曲家因此入狱八天。而让·谷克多[1]则因为在法庭上的污言秽语被逮捕。

---

1. 让·谷克多(Jean Cocteau,1889—1963):法国诗人、小说家、艺术家,《游行》剧本创作者。

—— **信件正文**

> 1917 年 5 月
>
> 致让·普伊

先生、亲爱的朋友:

  我知道你是个浑蛋,而且我敢说,你是个不懂音乐的浑蛋。总之,永远别再对我伸出你的脏手。

埃里克·萨蒂

* * *

> 1917 年 6 月 3 日

致让·普伊先生、榆木脑袋、呆瓜蠢蛋之首:

  你并没有我想的那么笨。尽管你一脸白痴相,又近视,你还是能隔着很远的距离看见东西。

埃里克·萨蒂

* * *

1917年6月5日

致著名南瓜脑袋、为白痴而生的作曲家蠢货让·普伊先生：

　　差劲的浑蛋，我就在这儿用尽全力拉在你身上。

埃里克·萨蒂

我知道你是个浑蛋,而且我敢说,你是个不懂音乐的浑蛋。

——埃里克·萨蒂

—— 信件 11
我学会了控制自己
彼得·伊利奇·柴可夫斯基

致纳德日达·菲拉列托夫娜·冯·梅克

1878 年 3 月 5 日

在十三年的时间里,彼得·伊利奇·柴可夫斯基全身心地投入在歌剧、芭蕾舞剧、协奏曲和交响曲的创作中,日后也因为这些作品而闻名世界。他之所以能够有这个条件,很大程度上要归功于一个人的慷慨资助:纳德日达·菲拉列托夫娜·冯·梅克。冯·梅克夫人是一位热爱音乐的俄国商人。她坐拥巨大的财富,从 1877 年起就对柴可夫斯基提供经济资助,让他得以不用理会维持生计的种种压力。神奇的是,他们两人从未实际见过面,而是通过信件进行频繁交流,并由此成了亲密的朋友。这些信件给柴可夫斯基提供了一个他急需的表达场所,让他能够自由并充满激情地反思自己的音乐和生活。这封信就是其中一例。

—— **信件正文**

克拉伦斯，1878年月5日。

与您谈论我的作曲方法是件令人愉快的事。迄今为止，我从来没有机会向人坦陈我内心世界这些隐秘的言语：一部分是因为没有多少人会感兴趣，另一部分则是因为，在屈指可数的几位感兴趣的人里，恐怕没有一位知道该怎么回应我才合适。只有对您，您一个人，我才能快乐地描述创作过程的所有细节，因为您拥有细腻的感知力，理解我的音乐。

如果有人试图说服您，说作曲不过是种理智冰冷的头脑练习，请不要相信他。只有当作曲家被灵感搅动得坐立不安，乐曲从他灵魂的深处流淌而出时，那才是能够感动我们、触及我们心灵的音乐。毫无疑问，即便是最了不起的音乐天才，有时也会在毫无灵感的情况下工作。灵感这位宾客往往并不会邀之即来。我们必须不停地工作，没有哪位有自尊心的艺术家会因为不在状态就罢工不干。如果我们只是袖手等待状态的来临，而不是付出努力主动去迎接它，我们很容易就会变得懒惰而麻木。我们必须要有耐心，并且相信,只要一个人能克服自己的不情愿,灵感迟早都会来临。几天前,我在信里对您说过,我每天工作时都没有什么真正的灵感可言。如果我屈服于不情愿的情绪,那么毫无疑问,我会进入一段漫长且毫无产出的空白期。但我的耐心和信心终于有了回报,今天我就感受到了曾对您描述过的那种无法解释的灵感之光。由于它的出现,我还没有动笔就知道,今天我写出的乐曲将能够留在听众的记忆中,并触及他们的心灵。如果我告诉您,其实我很少被那种不愿意工作的情绪困扰,希望您不会认为我是在自吹自擂。这要归功于我天性有耐心。我学会了控制自己,并且可以高兴地说,我并没有步上许多俄国同僚的后尘,不会缺乏自信、毫无耐心,遇到一点点困难就撂挑子。因此,尽管他们才华横溢,取得的成就却很少,仅有的一些作品也很稚嫩。

您问我,我是怎么进行配器选择的。我从来不会以抽象的方式作曲,也就是说,当我产生了一个音乐上的点子,它总是以恰当的外部表现形式出现。就这样,我的乐句和配器是同时诞生的。比如我们那部交响乐中的诙谐曲,我在脑海中构思它时——也就是在它诞生的那一刻,和您听到时的成品别无二致。它只能以拨奏曲的形式存在，没有第二种可能。如果用弦乐，它就会丧失魅力，成为一具缺乏灵魂的躯壳。

  至于我作品中的俄罗斯元素，可以告诉您的是，我经常在作曲时有意引入民间音乐的旋律。有时这件事会自动发生，并不是我有意识的决定（比如我们交响乐的终曲）。我作品中之所以会出现民族元素，某些曲调与和声之所以与民间乐曲有着千丝万缕的联系，都是因为我的童年是在俄国度过的，我从小就浸润在俄罗斯那极富特征的美妙民间音乐里。我无比喜爱民间音乐的元素，无论是以哪种表现形式呈现。一句话，我是一个彻头彻尾的俄罗斯人。

—— 信件 12

那不是占便宜，是表达爱
约翰·列侬致克雷格·麦格雷戈
1971 年 9 月 14 日

1970 年 6 月 14 日，披头士乐队解散后不久，《纽约时报》第 13 页上刊登了一篇由记者克雷格·麦格雷戈撰写的文章，题为《到头来，披头士也不是什么真先知》。文中将披头士乐队称为"黑人音乐的白人模仿者"，说他们"占尽了黑人音乐的便宜，最终又背叛了它，歌曲变得越来越循规蹈矩、安全保守，与'革命性'背道而驰"。不知道约翰·列侬是过了十五个月才看见这篇文章，还是读了以后需要很长时间消化，他做出回复时已经是第二年的 9 月。列侬在一架美国航空公司的飞机上，用机内信笺给麦格雷戈写了回信。

—— 信件正文

         美国航空公司

         飞行中……
         高度……不明。
         位置是……

         1971年9月14日

亲爱的克雷格·麦格雷戈：

  《钱》《扭曲呐喊》《你真的迷住我了》等等，都是我们（披头士乐队）以前在英国各地舞厅演出时演唱的歌曲，主要在利物浦。很自然地，我们演唱时会尽可能地向原唱版本靠拢——我还总是遗憾，觉得还能和原版再像一些。早期，我们不唱自己的歌——那时的作品还不够好。但我们总会告诉所有人，这些歌的原唱都是黑人歌手，我们热爱这些音乐，想尽己所能，以各种方式推广它们。在20世纪50年代，很少有人听蓝调音乐、R&B、摇滚乐，美国、英国都一样。而有些人——埃里克·伯登的"动物"乐队，米克的滚石乐队,还有我们——则是每天吃着这些音乐,喝着这些音乐,睡着这些音乐,并且录制这些音乐。许多孩子都是听了我们的演出开始喜欢黑人音乐。

那不是占便宜

是表达爱

约翰和知名不具

又及:你觉得《钱》的 B 面怎么样呢?

又又及:就连黑人小孩也不喜欢布鲁斯什么的,觉得不够"酷炫"。

我们热爱这些音乐,想尽己所能,以各种方式推广它们。

——约翰·列侬

—— 信件 13
大获成功
莉莲·诺迪卡致父亲

1879 年 5 月 13 日

　　1879 年 4 月，在意大利布雷西亚的吉约姆剧院，美国女高音歌手莉莲·诺迪卡首次出演歌剧——在朱塞佩·威尔第的作品《茶花女》中饰演主角薇奥莉塔。对于她在歌剧世界中的首次亮相，许多剧评人都给予了热烈的好评，这让诺迪卡信心大增。演出后一个月，她给父亲写了封家信。

—— 信件正文

> 1879 年 5 月 3 日

亲爱的父亲:

　　母亲在来信中写到我的演出有多成功,而且篇幅不小。嗯,她再怎么说也不为过。我的表演确实大获成功,一点错都没出。观众席上传来我从未听过的欢呼叫喊。整座剧院座无虚席。我直接就进入了角色,如果你在场,恐怕根本认不出我。到了最后一幕,台下的男男女女都哭了,擤着鼻子,我觉得很好笑……

　　9月,我会去蒙扎出演《浮士德》,希望到时一切顺利。请再多寄些报纸过来吧。没有英语可读,有时我真觉得快死了。我必须用法语和意大利语阅读。

　　我会尽快安排回家的。说真的,在这边有时候感觉非常孤独……

　　下周六晚上是我的慈善演出。我会加唱《露琪亚》中发疯的那一幕。我的裙子都很好看,我穿起来也很美。好了,晚安吧。

　　昨晚我半夜一点才上床。

莉莉

—— 信件 14

还记得我吗?
马友友致伦纳德·伯恩斯坦

1965 年 12 月 21 日

1962 年 11 月 29 日,一场慈善募捐活动在华盛顿特区举行。出席的观众有五千多人,其中包括约翰·F. 肯尼迪总统、第一夫人杰奎琳·肯尼迪和德怀特·D. 艾森豪威尔。担任司仪的是伟大的作曲家伦纳德·伯恩斯坦,伯恩斯坦向观众介绍了一位年仅七岁的天才大提琴家和他的姐姐,介绍词如下:

> 正如我刚才提到的那样,美国的艺术之河有两条并行河道,同时流进和流出我们的国家。多年来,这一点吸引了大量外国的艺术家、科学家和思想家,他们不但会来这里拜访,往往还会加入我们,成为美国人,成为这里的公民,生活在这个历史上曾是机遇之地,对一些人而言也是自由之地的国度里。今天就有一位沿袭了这种伟大传统的年

轻人来到我们面前，他叫马友友，今年七岁。将友友介绍给我们的是了不起的大师帕布罗·卡萨尔斯，他最近听过这个男孩演奏大提琴。也许你们能从他的名字猜出来，友友的祖籍是中国，之前一直在法国生活——非常国际化。现在，他们一家都来到了这里。他父亲在纽约的学校教书，而他十一岁的姐姐马友乘正在学习音乐，他们都希望能够成为美国公民。现在，我们将有幸听到马友友和姐姐马友乘演奏尚·巴替斯特·布雷瓦尔的《A大调第三小协奏曲》的第一乐章。布雷瓦尔是一百五十年前的法国大提琴家，不但弹奏并教授大提琴，也为大提琴作曲。请大家一边听，一边思考这场演出所展现出的文化图景：来自中国的七岁大提琴手，为刚刚成为同胞不久的美国听众，演奏古老的法国音乐。欢迎，马友友和马友乘。

三年后，马友友给伯恩斯坦写了一封信。后来，他成了有史以来最成功的大提琴家之一。

—— **信件正文**

> 1965 年 12 月 21 日

亲爱的伯恩斯坦先生：

你还记得我吗？现在我十岁了。今年我跟随雷奥纳多·罗斯教授学习了三首协奏曲：圣桑的、博凯里尼的和拉罗的。上个星期，姐姐和我参加了茱莉亚音乐学院圣诞音乐会的演出。我们受到邀请，将于 1966 年 1 月 19 日下午 1：45 在布里尔利学校举办联合演奏会。

如果你有时间，我很乐意为你演奏。

> 马友友

如果你有时间,我很乐意为你演奏。

——马友友

—— 信件 15

寻根究底
路德维希·凡·贝多芬致艾米莉·H
1812 年 7 月 17 日

    1812 年 7 月初，42 岁的德国作曲家路德维希·凡·贝多芬写下了他最著名的信件之一：一封长达十页、充满激情的情书，献给他"不朽的爱人"。这封信至今仍在引起人们的讨论，主要原因是收信人的身份扑朔迷离，而贝多芬似乎没有对方就不愿活下去。写信一周后，在这样的痛苦煎熬中，他又写了一封截然不同的信，这回的收信人是一个 8 岁的小姑娘。艾米莉·H，来自德国汉堡，是贝多芬的仰慕者，有志成为钢琴家。在家庭教师的帮助下，她手工制作了一本刺绣笔记簿，寄给音乐偶像，以表达对他作品的感谢。作为回报，艾米莉收到了一封建议信，里面的内容坦诚得超越了人们的想象，贝多芬还慷慨地邀请她再寄信过来。

—— **信件正文**

特普利采，1812 年 7 月 17 日

亲爱的艾米莉，我亲爱的朋友：

我这么晚才给你回信，大量的工作和持续患病是我的借口。我正在这边疗养身体，这证明了借口的真实性。请不要夺走亨德尔、海顿、莫扎特的桂冠；他们配得上那样的盛誉，而我还不能。

我会将你的笔记本放在其他许多人表达好意的礼物中珍藏，我配不上你们的这些心意。

请你不断前行，不但要创造艺术，而且要对它寻根究底。艺术值得你这么做，只有艺术和科学才能让人具有神性。亲爱的艾米莉，如果你有什么想知道的，请不要犹豫，随时给我写信。真正的艺术家从不骄傲，他不幸地明白了一个道理——艺术永无止境。他总是因为自己与目标之间的遥远距离而心情沉重。也许他饱受爱戴，但他总会悲伤于自己没能抵达更高的境地，让比他更加优秀的天才看起来是遥远的、指引道路的太阳。比起那些内心贫瘠的富人，我可能还是更愿意到你和像你那样的人身边去。如果有朝一日

我去了汉堡,我会到你家去找你。在我看来,只有当一项特质能让人跻身于更加优秀的人群之中,那才称得上是优点。有这种特质存在的地方,对我来说就是家。

亲爱的艾米莉,如果你愿意写信给我,可以直接寄到这里来,我会在这里再待四个星期。寄到维也纳也可以,对我来说都一样。请将我看作是你的朋友,也是你们全家的朋友。

路德维希·凡·贝多芬

不但要创造艺术，而且要对它寻根究底。艺术值得你这么做，只有艺术和科学才能让人具有神性。

——路德维希·凡·贝多芬

—— 信件 16

我从不写信，即便是给我母亲

罗杰·泰勒致《滚石》杂志

1981 年

    1980 年 6 月，英国摇滚乐队皇后乐队开始了名为"游戏"的全球巡演，巡演分为五段，一直持续到次年的 11 月，其间总共举办了八十一场演出，其中包括乐队在南美洲的首次现场演出。在布宜诺斯艾利斯举办的某场演出结束后，《滚石》杂志上刊登了一篇报道，对演出评价极低。报道的内容毫无节操，有一段甚至脱离了演出本身，转去批评现场的音响效果"差劲透顶"。

    记者詹姆斯·亨克还指责乐队的节奏部分"松垮呆滞"，布莱恩·梅的吉他"无聊透顶"，佛莱迪·摩克瑞的演唱"懒散懈怠，毫无信服力"。一个月后，新一期的杂志上刊登了下面这封乐队鼓手罗杰·泰勒在狂怒中拿飞机呕吐袋写下的信。

―― 信件正文

《滚石》杂志：

阅读了你们对于皇后乐队在南美演出的"深度"报道（《皇后乐队于南美开演》，第345期）后，我瞠目结舌、目瞪口呆、大为惊奇且昏昏欲睡。我是这个乐队的一员，对于该乐队的音乐（不是全部）和成就都无比自豪。我从不写信，即便是给我母亲，因为这个时代有电话，还有你们杂志和《国民问询》之类的报刊，写信似乎已经没什么价值了。

你们那仿佛穿越到20世纪70年代的过时态度，还有刻到骨子里的对摇滚乐的误解，让人既好笑又恼火。谢谢你们，哦，谢谢你们，在充满偏见和乡土气息的过时破烂里继续兜售徒有其表的政治观点和信口开河的一家之言。

也感谢你们通过音响效果对我们乐队进行的详尽音乐评估！成熟点吧。嫉恨是你们发明的吧。我可怜你们。你们真差劲。你们无聊透顶，还想来影响我们。

期待你们八个月后对我手头这张专辑再发表魅力

四射的评论!

罗杰·泰勒

英国伦敦

—— 信件 17
《阿依达》会在档案馆里积灰
朱塞佩·威尔第、普洛斯彼罗·贝塔尼和朱利奥·里科迪
1872 年 5 月

1870 年,经过一些延迟,朱塞佩·威尔第的传世之作《阿依达》终于在开罗新建的总督歌剧院进行了首演。自此,这部歌剧衍生出无数版本,征服了全世界的观众。但事无绝对,《阿依达》所收获的也并不总是好评。1872 年 5 月,一位名叫普洛斯彼罗·贝塔尼的意大利绅士在两次出远门观看歌剧后,决定给威尔第本人写一封投诉信,要求退钱——不仅仅是票钱,还有他为看歌剧而产生的相关花销。威尔第觉得很好笑,把他的信转交给出版商朱利奥·里科迪,并附上了自己的指示。如下面的信件中所写的那样,此事最后的结果就是,贝塔尼立下书面保证,承诺再也不会观看这部歌剧。让贝塔尼不快的是,在威尔第的安排下,他的投诉信被刊登在了好几家意大利报纸上。

—— 信件正文

普洛斯彼罗·贝塔尼致威第：

无比尊敬的威尔第先生：

本月二日，由于受到您歌剧《阿依达》热度的吸引，我去了帕尔马。演出开始前半小时，我就已经在座位上坐好了，120号座。我欣赏了布景，非常享受地听了优秀歌手的演唱，格外注意不放过任何一个细节。等演出结束，我问自己是否得到了满足。答案是否定的。我返回了瑞吉欧，在回程的火车车厢里，我一直在听同行乘客们的评价。几乎所有人都认为，《阿依达》是一部至高无上的杰作。

因此，我有了再听一遍的冲动，于是在本月四日再次来到了帕尔马。我拼了命想取得一个预订的座位，人实在太多了，我不得不花了15.9里拉，才得以舒适地观看演出。

我得出的结论是：这部歌剧完全没有任何扣人心弦、令人激动的地方，如果不是华丽的布景，观众不会有耐心坐到最后。这部剧可以再让剧场座无虚席几次，然后就会在档案馆里积灰。所以，亲爱的威尔第先生，您应该可以想象我的懊悔：我为这两场演出付了将近 32 里拉。雪上加霜的是，我至今仍在仰仗家人过活。您一定能理解，这笔钱是如何像个可怕的幽灵一般在我头脑里盘桓不散。因此，我开诚布公地给您写信，请您把这笔钱还给我。账目如下：

火车票，去程：2.60 里拉
火车票，返程：3.30 里拉
演出票：8.00 里拉
难吃到恶心的晚餐：2.00 里拉

第二次预订座位演出票：15.90 里拉

共计：31.80 里拉

衷心希望您能将我从这困境中解救出来。
您真诚的，
贝塔尼

我的地址：普洛斯彼罗·贝塔尼，圣多明哥大街 5 号。

想象一下,为了保护一个家庭的孩子,不让可怕的幽灵打扰他内心的宁静,我怎么会不愿意支付他提出的这张小账单呢!因此,请你通过代理人或银行,以我的名义给这位住在圣多明哥大街 5 号的普洛斯彼罗·贝塔尼先生报销 27.8 里拉。这不是他要求的金额,但是……连晚餐钱也要我付?!不。他完全可以在家吃饭啊!!!当然,他必须寄给你相应金额的收据,还要写一张字条,保证再也不会去听我的新歌剧,这样他日后不会再有被幽灵缠身的危险,而我也不用再陪他上演一出赔钱的滑稽剧……

威尔第致出版商朱利奥·里科迪:

圣阿加塔,1872 年 5 月 10 日

亲爱的朱利奥:

昨天我收到了从瑞吉欧寄来的一封信,非常有意思。我转寄给你,请你照我后面的委托去做。[1]

瑞吉欧,1872 年 5 月 7 日

---

[1] 见前一封信

里科迪致威尔第:

米兰,1872 年 5 月 16 日

亲爱的朱塞佩:

一收到你最近的来信,我就给在瑞吉欧的联络人写了信,他找到了那位著名的贝塔尼先生,给了钱,拿到了恰当的收据!我正找人抄写信和收据,回头交给报纸一份。明天我就把这些都还给你。哦,这世上有些人是多么愚蠢啊!这恐怕是至今最"出众"的一位!

瑞吉欧的联络人给我写道:"我立刻派人去找贝塔尼,他马上就来了。我解释了邀请他前来的原因,他先是吃惊,然后说:'威尔第大师愿意给我报销,这就意味着他赞同我信里的话。但我仍然要感谢他,请你帮我传达。'"

这比之前还过分!

能发现这样罕见的物种实在令人惊喜。向您和佩皮纳夫人致以最亲切的问候。

朱利奥

普洛斯彼罗·贝塔尼致威尔第：

1872 年 5 月 15 日

我在此签字，证明我已收到来自朱塞佩·威尔第大师的 27.8 里拉，补偿我前往帕尔马观看歌剧《阿依达》的相关花费。大师认为应当将这笔钱退还给我，因为他的歌剧不合我的口味。同时，双方达成共识，我未来不会再去观看大师的任何新歌剧，除非他愿意承担所有费用，无论我对他的作品意见如何。

我在此签名，以示确认。

普洛斯彼罗·贝塔尼

—— 信件 18
请指示
特奥·马斯罗致哥伦比亚唱片公司数人
1969 年 11 月 14 日

    1969 年 11 月，唱片制作人特奥·马斯罗发来的一封充满紧张情绪的备忘录在哥伦比亚唱片公司的办公室间飞速流传。此时，公司正在制作迈尔斯·戴维斯的新专辑。这是一张重新定义音乐类型、挑战音乐界限的突破性专辑，名为《听听这个》。这名字确实有点平淡，但值得感恩的是，没有任何地方惹人不快。在收到备忘录之前，所有参与制作的人都以为它会以这个名字发行。但是，迈尔斯·戴维斯随即打来了电话。也许，收到备忘录的人所下达的指示就是接受他的要求：四个月后，戴维斯的爵士新作果然引起了声势浩大的反响，广受好评，而唱片的包装上也确实骄傲而醒目地印着他提出的让人难以忘怀的新名称。很难想象这张唱片以其他任何名字面世会是什么样。

—— **信件正文**

哥伦比亚广播公司备忘录

发件人：特奥·马斯罗

收件人：约翰·伯格、乔·阿格雷斯蒂、菲利斯·梅森

日期：1969年11月14日

Re：迈尔斯·戴维斯 CS 9961 XSM 151732/3 项目#03802

迈尔斯刚刚打来电话，说他想给专辑命名为：

"贱货酿造[1]"

请指示。

特奥

---

1. 贱货酿造（*Bitches Brew*）：疑为根据"Witches Brew"（"女巫酿造"，意为"大杂烩"）玩的文字游戏。

—— 信件 19

不要让别人定义你是谁

安吉丽可·基乔写给全世界的女孩

2013 年

　　安吉丽可·基乔于 1960 年出生在西非贝宁共和国的维达市。由于母亲是位著名的舞蹈指导兼剧院总监，她从小就沉浸在音乐和舞蹈的世界里。传统民间歌曲是影响她音乐的主要因素，但也有一些美国摇滚乐穿越大西洋，影响了她的作品。1989 年，她发行了首张个人专辑《帕拉库》。1983 年，她逃离了贝宁共产党统治下动荡不安的祖国，来到巴黎的爵士乐学校学习，一落地就如饥似渴地吸收起所有能接触到的音乐。到了 2013 年，基乔已经发行了十三张专辑，获得了格莱美奖，并因为持续进行的社会活动取得了无数荣誉。她写了一封公开信，向全世界的女孩传授一些得来不易的智慧启迪。

—— **信件正文**

全世界的女孩们：

当我12岁时，我生活在西非贝宁共和国科托努市的中心。我们的生活里充斥着音乐。传统民间歌手敲着鼓，广播里大声播放着来自全世界的音乐。

我从小就热爱歌唱。妈妈告诉我，我还没学会说话，就已经在唱歌了。有一天，我听到了一首歌，它非常振奋人心，大家都忍不住跳起舞来。歌名叫作《帕塔帕塔》。歌声中的力量和美感让我深深着迷。我迫不及待地找到了那张每分钟45转的单曲唱片。就这样，我第一次知道了米里亚姆·马克巴这个名字，她是南非的著名歌手。我了解了她在反对种族隔离方面进行的斗争，还有她在全球取得的成功。

虽然在家里，我看得到我父亲有多么敬重我妈妈，但是我仍然能感觉到这个世界有多么不平衡，女孩和女人想要成功有多么困难。因为巨大的社会压力，我上学时有许多女同学早早就辍学了。很多人根本无法选择自己的命运。她们仿佛一辈子都只能作为某人的女儿、妻子或母亲而存在。

但我看着唱片封面上米里亚姆的微笑,看着她自信的模样,以及她所赢得的别人的敬重,我开始怀有梦想。如果一个出身贫苦、在流亡中的非洲女人能取得如此巨大的成就,也许我也有机会追随她的脚步。我思绪万千地躺在床上听着她的音乐,一听就是好几小时,能够背出每一首歌的歌词。在我的想象里,我和她一起旅行,一起唱歌,一起与世界领导人见面,为她同胞的自由而努力奋斗。

这个梦想从来没有离开过我。我长大了,经历了许多次拒绝、许多阻碍,但米里亚姆的歌声一直在我的脑海里回荡。我在国家电台上唱歌,逐渐取得了一些成就。

有一天,在放学回家的路上,一群青少年认出了我,开始侮辱我,骂我不知羞耻,就因为我唱歌。我哭着回了家,想要彻底放弃唱歌这件事。我的外祖母刚果妈妈正好在家。她问我为什么哭得这么厉害。听我讲完事情的经过,她给我的建议令我永生难忘。如果你觉得梦想破碎了,我希望你也能想起她的话。

她对我说:"你想当歌手吗?"

"我想,外婆。"

"既然如此,就不要因为其他人的看法而气馁。

不要放弃你的梦想,不要让他们定义你是谁,否则他们就赢了!"

许多年过去了。和米里亚姆一样,我也离开了自己的祖国。我辛勤工作,虚心听取有建设性的批评意见,无视那些唱反调的人,米里亚姆的歌一直在我心上。然后,在一个不同的年代,一个不同的国家,这一天终于来临了:我受邀为心爱的偶像担任开场嘉宾。我简直不敢相信。

女孩们,请记住:不要让别人定义你是谁!

安吉丽可·基乔

—— 信件 20

那根不行，博士——它没有节奏感

理查德·施特劳斯致汉斯·迪斯特

1931 年 7 月 15 日

1931 年，作家汉斯·迪斯特写信给德国著名作曲家理查德·施特劳斯，想获得一些对于管弦乐世界的专业见解。他即将出版一本相关的书——《管弦乐演奏家谈作曲》。施特劳斯从 6 岁就开始作曲，事业上一帆风顺，最终成为 20 世纪最卓越的作曲家之一。他的回信引人入胜，后来被选作序言，为那本书呈现了一个完美的开篇。

—— **信件正文**

亲爱的迪斯特先生：

在 1886 年到 1889 年期间，我在慕尼黑的宫廷剧院作为皇家音乐总监，首次担任歌剧指挥（那个时代还有这样的职位，有无限的补贴，歌手也没有合同假期）。我父亲时年 65 岁，在那里担任首席圆号手已达四十五年之久。他总会满怀责任心，在演出前整整一小时就落座准备，不仅担心自己在《女人心》中高难度的独奏段落，同时还担心他缺乏经验的儿子会在指挥台上犯错。

他崇拜拉赫纳，讨厌彪罗，那时会带着些许讽刺对我说："你们指挥家太醉心于自己的权力了！当一个新人站到乐团面前，都不用他拿起指挥棒，光看他走上指挥台、打开乐谱的样子，我们就知道掌控一切的究竟是他，还是我们。"

有这句话作为你那本书的座右铭，我想对我尊敬的同僚们说：等《第三号莱奥诺拉序曲》结束，就算在观众要求下你连着谢了三次幕，也别太骄傲了。在管弦乐队里，无论是第一小提琴手，还是后排的圆号手,哪怕是另一头的定音鼓手,里面总有目光敏锐的观察者,挑剔地看着你的每一个四分音符和八分音符。如果你在《特里斯坦》中用力挥舞指挥棒,用四拍演奏二二拍,或者在《河畔风景》或《第九交响曲》的慢板乐章第二变奏中敲出了十二个完整的八分音符,他们都会发出呻吟。如果你在演出中不停地喊着"嘘——"或"钢琴,先生们",同时右手不断地指挥着强音,他们甚至可能会造反。如果在排练开始时你说"木管走调了",却说不出哪种乐器是高了还是低了,他们会冲彼此眨眼致意。

台上的指挥家也许以为他们会虔诚地随着指挥棒的每一次颤动而起舞,但事实上,如果指挥家掉了拍子,他们会不看指挥自行演奏。对于每次的节奏失误,他们都会怪罪于指挥的"个人诠释",因为这是他第一次指挥这部交响乐,而他们已经跟随水平更高的指挥家演奏过上百次。

有一次排练的时候,我的指挥棒找不到了。我正要再拿一根,维也纳爱乐管弦乐团的首席中提琴手对我喊道:"那根不行,博士——它没有节奏感。"

总之,指挥的破绽被管弦乐队的乐手一眼看穿,这样的故事不胜枚举。这是一群刻薄的人,如果站在指挥台上的人选不合心意,他们只会有气无力地敷衍过一条漫长的中强乐句,拒绝服从"很弱"的力度符号,不肯准确弹出宣叙调中的和弦——他们已经受够了对排练一无所知、只会吹牛皮的指挥,也厌倦了对这样的人进行教导。然而,一旦相信指挥不会让他们在没必要的地方操心,他们又怎么会不以极大的热情进行演奏,不以高度的奉献精神进行排练呢!如果指挥完全掌握了这门高雅的艺术,用右手将他的意图准确无误地传达出来,目光严厉但友善地观察乐队里每个人的表现,而左手不会在力度很强的段落紧握成拳,又在弱力度的段落里无意义地禁锢乐队的发挥,那么在演出当晚,他们又怎么会不紧紧跟随他每一个细微动作的指示呢(除非在排练时,他就已经让他们丧失了信心)!

如果"作曲"的定义是将感官或情感上的印象转化为音乐这一符号语言,那么,说我们可以"将一切事物谱成曲"就是一句假话。当然了,人们确实可以用声音来描绘画面(特别是某些特定乐章),但有种风险始终存在:我们会对音乐的功能具备太多期待,并陷入对大自然的无意义的模仿。无论这类音乐创作起来需要多少智慧和技术知识,它都始终是二流的音乐。

我相信，戏剧效果的决定性因素是管弦乐队的规模，规模较小的乐队不会像大规模乐队那样淹没人声。许多年轻的作曲家已经自发地意识到了这一点。未来的歌剧管弦乐队将以室内乐团的形式出现，为烘托舞台对背景进行无比清晰的描绘。只有这样，才能精准地实现作曲家在声乐部分所想要表现的效果。毕竟，观众不仅应该听到歌声，也应该能够轻松地听清歌词。

我的指挥经常受到批评，特别是在我刚踏入这行的时候，因为在演奏贝多芬作品时，很多人觉得我的节奏有问题。但我想问："如今有谁能够断言，贝多芬本人认为某段节奏必须要以某种特定速度进行？这方面是否存在着确凿的传统？"

实际上并没有这样的传统，这也就是为什么我相信，是非对错必须由指挥根据自己完全主观的艺术判断力来决定。在演奏贝多芬、瓦格纳等人的乐曲时，我都是根据多年来所积累的对作品的理解来指挥的，并坚信这是唯一一种真实且正确的演奏方式。

这些交响乐作品从小就令我深深着迷。我也时不时想要尝试进行该类型的创作，但至今我的脑海里还没能出现什么有价值的主意。但即便是标题音乐[1]，如果想踏入艺术的殿堂，其创作者也必须是一位有能力进行发明创新的音乐家，否则他就是一个骗子，因为音乐创造中最重要的就是音乐的质量和逻辑，标题音乐也不例外。

我们的后继者，那些"年轻一代"和"现代"作曲家不再接受我的戏剧和交响乐作品，这也许是时代精神所造成的。这些作品都是我作为音乐家、作为一个人的真实表达，并且它们在音乐和艺术方面对"年轻一代"而言成为问题的，在我看来都早已解决。我们都是自己所处时代的孩子，永远无法跳出它的阴影。

理查德·施特劳斯

---

1. 标题音乐（program music）：指存在标题的音乐，按照标题去构思，或要求观众根据标题的提示去欣赏。贝多芬时代的音乐都属于无标题音乐。——译者注

—— 信件 21

想象一下这个情景

里克·梅奥尔致鲍勃·格尔多夫

1984 年 11 月 26 日

1984 年 11 月 25 日,英国音乐界几十位最耀眼的巨星聚集在伦敦的 SARM 西部工作室,在鲍勃·格尔多夫和米奇·乌尔的组织下以援助乐队的名义联合录制了歌曲《他们知道圣诞节来了吗?》,为在埃塞俄比亚毁灭性饥荒中受苦的民众进行慈善筹款,并取得了巨大的成功。录制后第二天,年轻人乐队的里克·梅奥尔(根据他的回忆录《比希特勒厉害,比耶稣优秀》中所说)给格尔多夫写了一封抱怨信。

—— 信件正文

鲍勃·格尔多夫

地下室

基尔本公路 126b 号

伦敦 NW8

1984 年 11 月 26 日

亲爱的鲍勃：

我很喜欢你的作品——或者说以前很喜欢，直到昨天，我去了 AIR 录音公司，给援助乐队献上我的一分力。看在可敬的芬妮·南丁格尔的分儿上，这到底是怎么回事？我只是想加入这个来自世界各地的流行摇滚明星小队，录一首简单的曲子，给非洲挨饿的人提供他们急需的食物和物资。可是不行。不，不，不，不，不。绝对该死的可恶的不行。

想象一下这个情景。就这个。我正往 AIR 录音公司走呢，那位菲尔·科林斯正好进去。我叫了他一声，但他假装没听见。这话我只跟你说，鲍勃，我一直都不太喜欢他。他给人感觉有点歪门邪道，总觉得有哪里不太对劲。还有他那些糟糕透顶的唱片。反正,我就跟着他进去了,结果一个穿着飞行员夹克的大个头挡住了我的路。哇哦,我心想,但我以为这只是哪个流行乐巨星哥们儿在跟我开玩笑,比如弗朗西斯·罗西啊,库尔与帮派乐队的库尔啊。大个子说:"这儿不欢迎你这种人。"我哈哈大笑表示了解,可他非常严肃。我叫他进去告诉你,我来了,来录我的那部分。过了几分钟他回来了,撒谎说已经问过你了,你让他叫我滚蛋。

这时西蒙·勒·邦带着他的女子伴奏乐队来了。我喊了他一声,告诉他有这么个巨大的误会,可他假装不认识我。这些人都有什么毛病?所以我又去找那个穿飞行员夹克的大个子说话,然后他就揍了我一顿。没错,鲍勃,也许你应该把这句话再念一遍。没错,在慈善歌曲录制现场,我被人揍了一顿。你的慈善歌曲录制现场。你对此作何感想?

我就那么躺在人行道上,一辆豪华轿车在我身边停下,乔治男孩、乔治·迈克尔和香蕉女郎合唱团下了车,从我身上跨过去进了门。他们都假装不认识我,但他们肯定都认出我了。谁都能看出来。

我并没被打倒(并无冒犯之意)。我绕到建筑后面,找到了一扇没上锁的窗户爬进去,结果一头栽到了马桶里。你能想象我当时的惊恐心情吗?你了解我,鲍勃,我以不轻易吞咽而闻名,但这一次实在出乎意料,我吞下了几乎半加仑的马桶水,还有些只能形容为"固体"的东西。这让我觉得恶心,但我决定坚持下去,最后成功找到了录音室。我得说,鲍勃,你找来的真是些大人物:博诺,保罗·韦勒,克里斯·克罗斯——屋里从天花板到地板都挤满了各路人才。我正在慢慢消化这宏大的场面,和保罗·杨之类的摇滚巨星挨个进行明星之间的会面,突然听见你对保安说"把那个头发上沾着屎的蠢货赶出去"。我只能猜想你是开玩笑不小心开过了火,因为那位保安确实把我赶出去了。

当然啦,如果这是你们音乐界合起伙来给我开的一个兄弟间的玩笑,那么我想让你知道,我一点也不介意,对每个人仍然怀有兄弟姐妹般的爱意。但如果这不是开玩笑,那你们就是一帮毫无天分、只会嫉妒的浑蛋。

还有一件事——你应该认真考虑把寄给埃塞俄比亚的钱拿一部分回来,请一些像我这样的轻型娱乐巨星,以保证这个项目有专业名人的参与。长远看来,这样你才能赚到更多的钱,但你恐怕太恶毒、太卑鄙了,看不清这一点。

　　好了,鲍勃,别忘了给我回信。回头见。向米奇带好。

里克

还有一件事——你应该认真考虑把寄给埃塞俄比亚的钱拿一部分回来,请一些像我这样的轻型娱乐巨星,以保证这个项目有专业名人的参与。

——里克·梅奥尔

—— 信件 22

说真的,凯伦·卡朋特是谁?
金·戈登致凯伦·卡朋特

日期不详

　　1983 年 2 月 4 日,32 岁的凯伦·卡朋特因神经性厌食症导致的心力衰竭去世。在此之前,她与这种饮食障碍症已经斗争了很长时间。一周后,数千人参加了她的葬礼。她受人爱戴自有充分的理由:在不幸去世前的十四年里,凯伦一直是卡朋特乐队的半边天。这是凯伦与她哥哥理查德于 1969 年组建的乐队,多年来吸引了多达数百万名"粉丝",摇滚乐队"音速青春"创始人之一的金·戈登也在其列。凯伦去世三十年后,戈登给她写了一封信。这封信日期不详,后来收录在《"音速青春":震撼一击》一书中。

—— **信件正文**

亲爱的凯伦：

在《卡朋特乐队电视特辑》播映的这些年里，我看着你从一个眼睛如奥利奥饼干和牛奶般黑白分明的天真邻家女孩变得眼神空洞，瘦骨嶙峋，在糖果色的舞台上飘来飘去。到了后期，你和理查德似乎整个人都无精打采。你的嘴里说着话，眼睛却在表达别的意思："救救我，求你了，我在消极抵抗中迷失了自己，有哪里出了错。我想让自己消失，逃离他们的控制。我的父母、理查德，还有那些写手都说我是'嬉皮士，太胖了'。因为我和大多数女孩一样，从小就被要求有礼貌、体贴他人，我以为没人会发现我的异常——只要我在表面上继续照他们的期望去做就可以了。也许我生活中所有外在的一切都被他们控制，但我的身体完全由我掌控。我可以变得越来越瘦。我可以消失。我可以把自己饿死，他们不会察觉。我的声音不会出卖我。我说的那些话都不是我自己的。没人能猜到我有多痛苦。但我要把这些话变成我自己的，因为我必须找办法表达自己。痛苦并不完美，所以理查德的生活里容不下痛苦。我必须也是完美的。我必须瘦，这样我就完美了。我曾经也有过少女时代吗？……我忘了。现在我只是个中年女人，穿着西部乡村服装，头发烫得很难看。"

我必须要问你，凯伦，你成长时以谁为榜样？是你的母亲吗？你喜欢读什么书？有没有人问过你，作为女性在音乐界打拼是种什么感觉？你有过什么样的梦想？你有女性朋友吗，还是除了你、理查德、爸爸妈妈、A&M 唱片公司，你的生活里就没有别的人了？你有没有在沙滩上奔跑过，感受海水冲刷着你的双腿？说真的，凯伦·卡朋特是谁？难道就只是那个声音美丽而深情的悲哀女孩？

你的粉丝——爱你的，

金

有没有人问过你,作为女性在音乐界打拼是种什么感觉?你有过什么样的梦想?

——金·戈登

—— 信件23

胡说八道

哈里·S. 杜鲁门致保罗·休姆

1950 年 12 月 6 日

1950 年 12 月 5 日晚上,华盛顿特区的宪法厅音乐厅里坐了三千五百名经过精心挑选的观众,欣赏玛格丽特·杜鲁门的演唱。她是美国总统哈里·S. 杜鲁门的独生女。总统本人也在场。尽管世间的普遍共识是玛格丽特并没有太多歌唱才能,演唱会结束后,迎接她的仍然是众多礼貌而肯定的评价。只有一个人不肯给出违心的好评,那就是《华盛顿邮报》的乐评人保罗·休姆。在第二天早上发行的乐评中,他诚实地写道:

> 杜鲁门小姐是一个独特的美国现象。她声音动听,音量不足,品质中等……杜鲁门小姐不太会唱歌。大部分时间,她的歌唱都很平淡,昨晚更是如此,比过去几年演出时更甚……她在演唱会上的表现很少能让人放

松下来,相信她能平安抵达目标,也就是歌曲的结尾……自从上次听到她演唱以来,杜鲁门小姐并没有什么进步。她仍然无法给出哪怕是靠近专业水平的表现。对于演唱的曲目,她几乎没能传达出里面的丝毫情感。

她的父亲自然大动肝火,立刻给休姆寄了一封信过去。令玛格丽特十分烦恼的是,这件事登上了第二天的报纸头条。

—— 信件正文

> 白宫
> 华盛顿特区
> 1950年12月6日

休姆先生:

我刚读了你对玛格丽特音乐会的差劲评论。我得出的结论是,你是个"拿着四个溃疡的工资,操着八个溃疡的心"的人。

我看你是个郁郁不得志的老头。你能在为之效劳的报纸后面写下这样的胡言乱语,这就证明你已经完全走偏了,至少有四个溃疡在工作。

希望有朝一日能和你见面。到时候,你恐怕需要一个新鼻子,一堆牛排来冷敷瘀青的眼窝,此外还得找个人搀扶!

佩格勒[1],一个贫民窟的流浪儿,跟你比起来都更像位绅士。我希望你能把这句话看作是比客观描述你身世更严重的侮辱。

> H.S.T.

---

1. 韦斯特布鲁克·佩格勒(Westbrook Pegler, 1894—1969),美国记者。——译者注

希望有朝一日能和你见面。到时候,你恐怕需要一个新鼻子,一堆牛排来冷敷瘀青的眼窝,此外还得找个人搀扶!

——哈里·S.杜鲁门

—— 信件 24

群星的颜色,她的肤色,还有爱情
朱浩伟致酷玩乐队

2017 年 12 月 8 日

2018 年,电影《摘金奇缘》上映后获得了史无前例的成功,并得到了来自四面八方的赞誉。它不仅是一部十分有娱乐性的电影,还是在四分之一个世纪的时间里第一部全部角色都是由亚裔演员出演的好莱坞电影。这里要提到的是电影所用的音乐。当影片结束时,一位女性唱起了酷玩乐队的热门歌曲《黄色》,但唱的是普通话而非英语。在电影制作期间,导演朱浩伟坚持要使用酷玩乐队的歌,但他的请求被乐队拒绝了。朱导演没有放弃,给乐队写了下面这封信。没过几天,他就得到了歌曲的使用许可。

—— **信件正文**

2017 年 12 月 8 日

亲爱的克里斯、盖伊、强尼、威尔：

这话听起来也许有些奇怪，但我从小就和黄色有着一种非常纠结的关系。整个小学阶段，同学都用这个词当骂人话叫我。电影里的人用这个词来称呼懦夫。在我的生活里，黄色一直都自带负面含义，直到我听到了你们的歌。有生以来第一次，我听到这个词被用来形容最美丽、最神奇的事物：群星的颜色，她的肤色，还有爱情。那是一幅充满吸引力而让人向往的神奇景象，它让我开始重新思考我的自我意象。我还记得大学时在 TRL 节目上第一次看到这首歌的音乐视频，太阳升起的那个镜头让作为电影制作人和音乐爱好者的我都屏住了呼吸。这首歌立即成为我和朋友们的代表曲目，让我们拥有了一种前所未有的自豪感……（尽管你们可能根本没有过这样的打算）我们得以将黄色变回属于自己的颜色，这一点在我人生的大部分时间里都没再变过。

我之所以现在给你们写信，是因为我正为华纳兄弟娱乐公司执导一部电影,叫作《摘金奇缘》(根据同名畅销小说改编)。这是二十五年来好莱坞电影公司制作的第一部全亚裔演员的电影。太疯狂了。为了纪念这一事实,我们最近登上了《娱乐周刊》的封面。这是一部浪漫喜剧,讲的是一位来自纽约的亚裔美国女孩(由吴恬敏扮演)去新加坡拜访男友的母亲(由杨紫琼扮演),从而与自己的文化身份达成了和解。它是一部豪华、有趣、浪漫的欢闹喜剧,同时内在也是一个讲述女孩成为女人的个人成长故事。她明白了,不管受到过怎样的教育,不管遭受了怎样的对待,她都足够优秀,理应得到整个世界,完全可以为自己混合的文化身份感到骄傲。在电影的最后一幕,她准备坐飞机回家,整个人与开头时相比截然不同,并且有了这样的感悟。这是一趟赋予人力量的情感之旅,需要一首代表歌来表达和展现她内心的胜利,这就是我们为什么需要《黄色》这首歌。你们的作品在这些年里给了我无尽的力量,如果能用它来为电影的结尾做一个强调,那将是我无上的荣幸。对我个人而言,这也会给我在电影界奋斗的个人旅程画上一个圆满的句号。

我明白,作为艺术家,很难判断什么时候可以把自己的作品和别人的作品联系在一起——我想你们大多数时候都会拒绝。但我确实相信,这部电影很特别。我确信这部电影有多么独一无二:出演这部好莱坞电影的不仅全都是亚裔演员,而且他们扮演的角色并不是刻板印象中的亚洲人,也不是一旁的配角,而是浪漫喜剧的主角。这会给整整一代的亚裔美国人和其他族群带来我听到你们歌曲时所产生的那种自豪感。我明白,这是在将你们的歌曲进行语境重构,但这正是让它如此有力的原因所在。我希望他们都能拥有一首代表歌,并且像当时最渴望那种感觉的我一样,通过你们的歌词和旋律,感觉自己很美。

希望你们能够考虑我的请求,这对我和这部电影都将意义非凡。

如果你们想了解歌曲使用时的语境,我可以把电影给你们观看。如果有什么疑问,我随时可以作答。非常感谢你们抽出时间来读我的信。

饱含爱意,
朱浩伟
《摘金奇缘》导演

—— 信件 25
那是种病毒
汤姆·威兹致《国家》杂志
2002 年 7 月

1988 年,汤姆·威兹在面向全国播放的多力多滋广告上听到一个疑似自己的声音在唱歌。他先是怀疑自己疯了,随即勃然大怒。事实很快就查明了:菲多利公司雇了一名汤姆·威兹的模仿者演唱广告歌曲,他完美地再现了歌手沙哑的嗓音,在电视上推销零食——这令威兹无法容忍。他将对方告上法庭,最后获得了两百万美金的赔偿费。2002 年,在那段广告刺入他耳中十四年后,威兹在《国家》杂志上读到一篇对于音乐人将作品授权给广告商这件事的评论文章,作者是大门乐队的约翰·登斯默。作为回应,汤姆·威兹写了这封信。

—— 信件正文

伍德兰山，加州

谢谢你们刊登大门乐队约翰·登斯默写的那篇对于艺术家将歌曲授权用在广告里的精彩的"牢骚话"。

歌曲蕴含着情感，有些歌会将我们带回人生中某个印象深刻的时间、地点或场景。企业当然会想搭上这趟魔咒般的顺风车，促使你在恍惚中买下饮料、内裤或汽车。拿作品换取广告费的艺术家是在毒害并扭曲他们的歌。这些歌会变得和叮当声无异，也就是你口袋里硬币碰撞的声音。你的歌会沦落至此。记住，当你把歌卖给广告商的时候，你同时出卖的还有你的听众。

小时候，每当看到我喜欢的艺术家做广告，我都会想："好惨啊，他肯定特别缺钱。"但现在，这却成为常态。这是一种病毒。艺术家排着队要做广告。对大多数艺术家来说，金钱和曝光率诱人得无法拒绝。公司都想劫持人们的文化记忆作为人质，来交换产品的利润。他们想得到艺术家的听众、信誉度、人缘，还有歌曲多年来吸收和给予的所有能量。他们将歌曲的生命力和意义吸干抹净,再用只要买了他们产品就能得到美好生活的承诺装填进去。

到了最后,舞台上的艺术家会变得像那些赛车手一样,全身上下贴满了商业标识。约翰,请你保持纯洁。你的信誉、诚信和荣耀都不应该是公司能花钱买到的东西。

汤姆·威兹

记住，当你把歌卖给广告商的时候，你同时出卖的还有你的听众。

——汤姆·威兹

—— 信件 26
和谐的艺术品
阿黛尔·奥德·奥赫致施坦威公司
1894 年

    阿黛尔·奥德·奥赫自幼就是一位出色的钢琴演奏者。她于 1861 年出生于汉诺威,出道演出时年仅 10 岁。12 岁时,她被匈牙利艺术大师弗朗兹·李斯特收为弟子,跟随他度过了七年宝贵的学习时光。后来,她在卡内基音乐厅与朋友兼导师、俄国作曲家彼得·伊利奇·柴可夫斯基一同参与过演出,在柴可夫斯基去世后还在他的葬礼上演奏了钢琴。在无比辉煌的职业生涯中,她曾与波士顿交响乐团合作演出过不下五十次。她在世界各地都开过演奏会,自己也会作曲。总而言之,阿黛尔·奥德·奥赫是一位成就已登峰造极的音乐家。

    1894 年,她给施坦威公司写了一封感谢信,是他们制造了她最喜欢的一架三角钢琴。

—— **信件正文**

纽约,

1894 年

施坦威公司

先生们:

很高兴能在此表达我对你们钢琴的无比喜爱。它们的音色高贵、洪亮而纯正,即便是用最大力道弹的最强音也依然丰富甜美。除此之外,琴声强劲的穿透力让最微妙的极弱音也能在宽阔的厅堂里得到练习。它们的音色不仅饱满圆润,而且精致敏感,又清新怡人。由于这些特质,在我了解的范围内,施坦威钢琴比其他所有钢琴都拥有更广泛的适用性,从轻柔悠扬到气势磅礴,无所不能。音阶分布得非常平均:低音丰富而纯净,高音悠扬饱满,几个较高的八度发音圆润,充满特色、活力四射。

施坦威钢琴的声音将深度、力度、轻柔和弹性结合在一起,让艺术家能够制造出差别极为微妙的音调色彩,弹出令人兴奋的有趣音色,实现气势磅礴的演奏效果。

简而言之,施坦威钢琴是一件和谐的艺术品,如此富有个性,又如此善解人意,总会让艺术家觉得它仿佛具有活生生的人格。

致以亲切的问候,

你们真诚的,

阿黛尔·奥德·奥赫

—— 信件 27

请换掉你们的待机音乐
史蒂芬·施洛茨曼医生致 CVS 连锁药店

2018 年 5 月

　　史蒂芬·施洛茨曼医生是哈佛大学医学院的精神病学助理教授,也是马萨诸塞州综合医院的精神科医生,平时要花费大量时间给 CVS 打电话。CVS 是一家大型药品公司,自从 1963 年建立以来,旗下的连锁零售商店开遍了美国的每一个角落。让施洛茨曼医生非常恼火的是,在过去 20 年里,CVS 从来没有更新过他们的待机音乐,每当顾客打电话来寻求医疗协助,他们都会听到同一段钢琴曲。2018 年 5 月,无计可施的施洛茨曼医生给他们写了一封恳求信。在互联网的帮助下,很快就有上百万人读到了这封信,之后还有不少媒体报道。

　　十个月后,CVS 宣布他们计划安装新的电话系统。

—— **信件正文**

亲爱的CVS：

请换掉你们的待机音乐。

拜托了。做出正确的决定吧。

不管是你，还是给你工作的某个人，甚至是某个青春期还没结束，但比1975年前出生的所有人都更懂怎么用苹果手机编写音乐的少年，换掉它都只需要48秒钟。

我听你们那永不改变的待机音乐的时间可比48秒要长得多。

我在网上搜索过这段音乐的出处。也许你能猜到，我是利用你们让我待机的这段时间搜的。对于那段想安抚顾客，让我们等待从20秒到35分钟不等的虚假舒缓钢琴乐，这恐怕是我所能做出的最为健康的反应。

顺便说一句，这些等待时间都是我估算的。你们也许有相关数据，也许没有，我实在没有心情拿我的等待时长去和平均时长做比较了。

另外，要明确的是，我并不是想批评待机这件事。我明白，药剂师都在尽己所能地努力工作。我明白，这是我们现代社会的一部分。这就是为什么有社交媒体、ESPN.com[1]，还有个垃圾桶摆在四五英尺（1英尺约 0.3 米）开外，让我把揉皱的纸团丢进去。老实说，电话上的待机时间极大提高了我的垃圾桶投篮准确率，所以也不是一点好处都没有。谢谢你们。

不管怎样，那段音乐非换不可。

我做梦都能听见它。我出门跑步时都能听见它。有时我会哼着这段旋律在半夜醒来。它不分昼夜地萦绕在我脑海里。这不健康。我知道。我是个医生。

在梦中还能听到药房的待机音乐一点也不健康。

哦，你想要数据支持？

好吧。

CVS 的待机音乐刺激我们爬行动物脑中杏仁形状的杏仁核，这不是一件好事。大脑中的这一区域同样也参与路怒症症状、竖起中指和聆听史蒂夫·米勒乐队演唱《阿布拉卡达布拉》。

在一项以普通美国人对 CVS 药店待机音乐的反应为研究对象、横跨多个中心的大型研究中，大约 98% 的

---

1. ESPN.com：美国体育赛事网站。——译者注

受访者都表示他们的杏仁核(很多个杏仁核)被激怒了。

很显然,这项研究并不存在。但它完全有可能是真的!

被试者就是我,或者是很多个我。要知道,有很多、很多个不同的我都在给CVS药店打电话待机时听过那段相同的音乐。其中一个我正处在接待病人的间隙,心中怀着百折不挠,但实在太过天真的确信,认为我可以用4分钟左右就解决一个预授权难题。另一个我因为女儿的耳道感染而紧张,暗自希望抗生素已经准备好了。还有一个我开着车在我家所在的街道上转圈,等待着音乐结束,这样我就能和有机体打交道,凭一份处方拿药。

至于数字,我也已经算清楚了。

假设在过去的25年里,我平均每天给CVS打3次电话,每周6天。这样就涵盖了我的实习期和读研时期。每年再减去放假的两个星期。

也就是说,我给CVS打电话的次数是25年,每年50周,每周6天,每天3次。听那段音乐的平均时间就算在1分钟34秒吧。

结果是,我大约给CVS打过2.25万($6 \times 3 \times 50 \times 25 = 22500$)通电话,我很感谢他们的服务,这是

实话。

当然了,我是在假设待机音乐在过去25年内从未变过。因为我不记得它变过。这就像税收。我已经不记得它不存在的时候。如果把这个假设当真——因为感觉像真的,这也就意味着我听这段毫无变化的音乐已经听了大概211.5万秒。那就等于35250分钟,或者587.5小时,或者将近25天。

我听了几乎25个日夜。我52岁了,这也就是说,我在这个星球上度过的18980天里,有25天用在了听那段钢琴曲(顺便一说,这曲子名叫《金龙》——我一边等,一边用谷歌搜的)上。这比例比我希望的要高。

所以,让我把话说清楚。我不反对待机。我讨厌待机,但我并不介意。我介意的是从宝贵的生命里拿出超过587小时的时间,听着那段毫无变化的曲子待机。

希望这封信能让你们明白,解决这件事迫在眉睫。

请换掉那段音乐。

拜托了。

此致最温暖的问候,
史蒂芬

在梦中还能听到药房的待机音乐一点也不健康。

——史蒂芬·施洛茨曼医生

—— 信件 28

让他们大开眼界吧,孩子
尼克·凯夫致托勒密

2019 年

尼克·凯夫漫长而杰出的音乐职业生涯始于 1973 年。那年他组建了自己的第一支乐队邻家男孩乐队,随即很快变成了后朋克风格的生日派对乐队,活动十年后又变成了尼克·凯夫与坏种子乐队。凯夫还制作过许多首电影插曲,写过两本小说和一篇名为《呕吐袋之歌》的叙事散文诗,以及几篇获奖剧本。最近,他策划了名为《比善意更陌生》的多媒体展览,展品包括他自己的作品和影响他的作品。2018 年,他创办了"红手档案"网站,大众可以通过这个平台向他本人提问。2019 年,他回复了一位名为"托勒密"的年轻"粉丝"的信。托勒密住在澳大利亚的朗塞斯顿。他的提问如下:

> 我十岁了,从我记事起,我就一直被你的音乐所包围,一直在听你的音乐。2017 年

1月，我在霍巴特看了你的演出，2019年1月还会再去。我的朋友们听的东西一点都不酷，不好玩，也不美。这么早就听到你的音乐会对我的生活产生怎样的影响呢？你对我有没有什么建议？

―― **信件正文**

亲爱的托勒密：

我在霍巴特的"对话"演出上可能已经回答了你的问题——如果你就是坐在大厅右侧的那个金发小伙子的话。我不记得具体回答了什么，但演出结束后，我又思考了一番你的问题，有点后悔没能回答得更好。

也许，我当时应该这么回答：在你这个年龄听到尼克·凯夫与坏种子乐队的音乐，就像拥有了一些秘密知识。当我像你那么大的时候，我也有过这样的秘密知识。我的大哥提姆曾经听过很多非常古怪、非常晦涩的音乐，他把这些知识传给了我。那时我住在维多利亚州乡下，就我所知，我的同龄人里没有一个听过大哥给我放的那些音乐。在我看来，他们听的都是垃圾。那感觉就像我心里埋着一个秘密，一些关于这个世界的秘密知识，而我的朋友们对此一无所知。那就像一种神秘的超能力。我怀揣着这种神秘力量度过了童年，然后去了墨尔本的一所学校，在那里遇见了三四个同样拥有这些特殊知识、同样具备这种神秘力量的人。这些人成为我最好的朋友。我们组了乐队，试图以自己的方式将这些知识传播给全世界。

你所拥有的这些秘密知识，是只有一部分人才有能力具备的力量。这种力量能够激励你做出很多奇妙的事——比如写故事、画画、制造飞向火星的火箭。它能给你勇气去面对世界摆在你面前的所有难题。这是一种狂野的力量，能对世界产生无与伦比的价值。托勒密是个属于战士的名字。一个心中充满灵感，又拥有战士之名的男孩！世界正等待着你的出场。让他们大开眼界吧，孩子。

爱你的，尼克

—— 信件 29

创作冲动

约翰·柯川致唐·德迈克尔

1962 年 6 月 2 日

  作为萨克斯风乐手、乐队领队和作曲家,约翰·柯川将永远是爵士乐界的一颗巨星,他那创新性、极富特征的音乐对爵士乐界做出了不可估量的贡献。柯川于 1926 年出生于北卡罗来纳州,20 世纪 50 年代曾参加过迈尔斯·戴维斯乐队并因此崭露头角,但真正让他登上舞台,并在爵士乐历史中占据一席之地的还是他的独奏作品,包括 1960 年的大师级作品《巨人的步伐》。该作发行两年后,《强拍》杂志的主编唐·德迈克尔给他寄了一本《音乐与想象力》,这是作曲家亚伦·柯普兰 1951 年在哈佛大学的演讲集。作为回应,柯川写了这封信。

—— 信件正文

> 1962年6月2日

亲爱的唐：

非常感谢你寄来亚伦·柯普兰的这本好书——《音乐与想象力》。它在历史方面发人深省，内容相当丰富。但我并不认为他的所有论点对爵士乐手也是必要或适用的。这本书似乎更多是为了美国古典乐或半古典乐的作曲家而写的，特别是那些在柯普兰看来还没成为音乐界不可分割的一部分，或者难以通过实证哲学或存在意义来验证自身作品价值的人。爵士乐手（此处可以把另外几个强加于我们的词也放进来）压根不存在这个问题。

我们根本没必要担心作品具不具备什么实证主义哲学。那是我们与生俱来的东西。我们的音乐表达和风格特色都证明了这一点。我们生来就具备这种能力。你可以放心，如果不是这样，我们在很久以前就销声匿迹了。至于业界，整个地球都是我们的业界。要知道，创作对我们来说非常容易。我们天生就具备这种感受，无论身处环境如何，它都会表达出来。若非如此，开创这种风格的先祖又怎么可能创造出这样的音乐？毕竟，他们生活的环境一定充满了敌意（如今仍然有很多人面临同样的情况），一切都值得恐惧，没有几个人值得信任。任何像我们的音乐这样能够不断生长、自我传播的音乐，本身都一定具备了无比坚定的信念。如果有人对此表示怀疑，或者宣称信仰我们这种自由音乐的人并不具有这样的特质，那他要不是心怀偏见，或者在音乐上毫无建树，要不就是纯粹的愚蠢或另有图谋。相信我，唐。我们都知道，如今许多人都害怕的这个词——自由，与这种音乐有着很大的关系。

你知道吗，唐，今天我在读一本讲凡·高生平的书，中间不得不停下来，对他身上那股美好又持久的力量思考一番——那就是创作冲动。创作冲动一直存在于他身上，尽管他与自己生活的世界格格不入，尽管他遇到了那么多困境、挫折、拒绝与阻碍……美丽而鲜活的艺术仍然喷涌而出……如果他今天能在这里该多好啊。真理坚不可摧。历史表明（如今恐怕也一样），创新者往往会受到某种程度的质疑，质疑的程度往往取决于他离开主流的表达方式走得有多远。变化总是让人难以接受。我们同样看到，只要有这样的需求，这些创新者就会不断地振兴、扩展并重构各自的领域。他们往往被社会拒绝、抛弃、视为二等公民，但正是他们为社会带来丰厚的养料。他们往往在生活中遭受过巨大的个人悲剧。无论情况如何，无论他们被人接受还是被人拒绝，无论富有或贫穷，他们永远都会受到那股伟大而永恒的力量引导——那股创作冲动。让我们珍惜它，并把所有的赞美献给上帝吧。谢谢你，此致最美好的祝愿。

真诚的，

约翰·柯川

我们天生就具备这种感受,无论身处环境如何,它都会表达出来。

——约翰·柯川

PERMISSION CREDITS

Every effort has been made to trace copyright holders and obtain their permission for the use of copyright material. The publisher apologises for any errors or omissions and would be grateful if notified of any corrections that should be incorporated in future reprints or editions of this book.

LETTER 1 Copyright © Mindless Records, LLC, 2010. Extracted from *Life* by Keith Richards (Published in 2010 by Weidenfeld & Nicholson) / Reproduced with permission of Curtis Brown Group Ltd, on behalf of Keith Richards / From *Life* by Keith Richards, copyright © 2010. Reprinted by permission of Little, Brown and Company, an imprint of Hachette Book Group, Inc.

LETTER 4 Copyright © 2016, Leonard Cohen, used by permission of The Wylie Agency (UK) Limited.

LETTER 5 Reprinted by kind permission of Mark Taubert.

LETTER 7 Reprinted by kind permission of Ms. Hammond and Mr. Taylor, grandchildren of Florence Price. Letter is located in the Library of Congress, Music Division, Serge Koussevitzky Archive.

LETTER 8 An open letter to Miles Davis by Charles Mingus November 30, 1955 Downbeat Magazine.

LETTER 9 Reprinted by kind permission of Billy Altman literary executor of the Estate of Lester Bangs.

LETTER 12 © Yoko Ono Lennon – Used by permission/ all rights reserved.

LETTER 14 Reproduced by kind permission of Yo-Yo Ma.

LETTER 16 Reprinted by kind permission of Roger Taylor.

LETTER 18 Teo Macero Collection, New York Public Library for the Performing Arts.

LETTER 19 Reprinted with kind permission of Angélique Kidjo, Grammy Award-winning singer-songwriter and UNICEF Goodwill Ambassador.

LETTER 21 Reprinted by permission of Harper Collins Publishers Ltd © (2005) (Rik Mayall).

LETTER 22 Reprinted by kind permission of Kim Gordon.

LETTER 24 Reprinted with kind permission of Jon M. Chu.

LETTER 25 Tom Waits Letter, © 2002, Tom Waits. Courtesy of Jalma Music. Used By Permission. All Rights Reserved.

LETTER 27 Reprinted with kind permission of Dr. Steven Schlozman.

LETTER 28 Nick Cave on The Red Hand Files reproduced by kind permission of Nick Cave.

LETTER 29 © Jowcel Music, LLC. Used by Permission / All Rights Reserved.

企 鹅 图 书
Penguin Books

出品人 **赵轩**
策划编辑 **郭宇萌**
营销编辑 **刘芸倩 赵亦南**
设计师 **索迪**